OFFRIR L'ESPOIR

Danielle Steel

OFFRIR L'ESPOIR

Témoignage

Traduit de l'anglais (Etats-Unis)
par Florence Bertrand

PRESSES
DE LA CITÉ

Titre original : *A Gift of Hope*

Retrouvez Danielle Steel sur son blog :
http://pressesdelacite.com/blogs/danielle-steel/

« Sans l'Espoir, le cœur se briserait. »

Proverbe écossais

A Nick, qui, une fois de plus, malgré son absence, a aidé tant de gens. C'est lui qui m'a montré le chemin de la rue et c'est pour lui que j'ai persévéré.

A mes merveilleux enfants, Beatrix, Trevor, Todd, Sam, Victoria, Vanessa, Maxx et Zara, qui m'ont encouragée dans cette entreprise et qui m'ont permis de la poursuivre si longtemps, malgré son coût et les dangers qu'elle comportait.

A Bob, Cody, Jane, Jill, Joe, John, Paul, Randy, Tony et Younes, qui, durant des années, ont fourni un travail acharné et souvent dangereux et ont si généreusement offert leur amour et leur temps. Tous sont extraordinaires, et sont, à mes yeux et à ceux de tant d'autres, de vrais héros.

A tous les êtres fantastiques que j'ai rencontrés dans la rue ; pour leur gentillesse, leur humanité et leur dignité. Ils nous ont permis de travailler parmi eux et de les servir. Du fond du cœur, je salue votre courage, votre amour, votre bonté, et je vous remercie pour tout ce que vous m'avez apporté.

Et en mémoire de Max Leavitt, que nous aimions tant et qui va si cruellement nous manquer. J'espère que Nick et lui, qui étaient de si grands amis, sont désormais réunis.

d.s.

Par la grâce de Dieu

Pendant onze ans, j'ai travaillé dans la rue auprès des sans-abri, et il est certain que cela a changé ma vie. Il ne peut en être autrement lorsque vous rencontrez les regards de ceux qui sont désemparés, qui souffrent mentalement et physiquement, et qui, bien souvent, ont perdu l'espoir. Ce sont des êtres oubliés, que nul ne veut connaître et à qui nul ne veut penser. Le plus souvent, ils nous effraient – et si cela nous arrivait ?

J'ai vu des gens se désintégrer tout doucement, sans faire de bruit. J'en ai vu d'autres passer du stade où ils n'avaient pas de logement à celui où ils n'avaient plus de vie, plus d'espoir, aucun moyen d'échapper à la rue pour se réinsérer dans la société. Certains ont disparu ; quelques-uns des plus jeunes sont retournés dans leur famille ; d'autres ont été aidés, par divers programmes ou associations. Mais la plupart d'entre eux sont encore là et leur situation s'aggrave de jour en jour.

Mes objectifs n'ont jamais été très ambitieux. Au début, je n'en avais même aucun. Ecrasée de chagrin après la mort de mon fils, j'ai voulu tendre

11

la main à des gens qui semblaient souffrir autant que moi mais pour des raisons différentes. J'ai commencé en cherchant à savoir quels étaient leurs besoins de base et comment y répondre. Et cela m'a permis de comprendre que ma « mission », si tant est qu'on puisse l'appeler ainsi, consistait à les garder en vie en attendant qu'arrive une aide véritable, à même de pourvoir à leurs autres besoins. Je me suis contentée d'objectifs modestes et concrets : faire en sorte qu'ils restent en vie, qu'ils soient au sec, qu'ils n'aient ni froid ni faim, qu'ils vivent aussi confortablement que possible malgré leur terrible situation. C'était tout ce que je pouvais faire. Je n'avais pas de relations politiques, pas d'influence sur les autorités municipales, pas assez d'argent pour les sauver tous. N'étant ni médecin ni psychiatre, je ne pouvais traiter leurs problèmes de santé. Je voulais seulement faire de mon mieux, et c'est ce que j'ai fait, avec dix autres personnes qui m'ont aidée à constituer une équipe, devenue très efficace au fil du temps.

Nous partions en maraude une fois par mois, essayant de répondre à toutes les situations devant lesquelles nous nous trouvions, nous occupant de trois cents personnes par nuit, autrement dit trois à quatre mille par an. Nous leur donnions des vêtements propres, les objets dont ils pouvaient avoir besoin, des affaires de toilette et de la nourriture bien emballée. Tout cela pour leur permettre de survivre. Et j'espère qu'ainsi nous avons sauvé quelques vies.

Dès le début, et sans même savoir pourquoi, je n'ai pas voulu parler de cette entreprise, ni la partager avec mon entourage. J'ai toujours pensé que les bonnes actions devaient être accomplies en silence et sans que cela se sache. A mes yeux, elles perdent tout leur sens lorsque l'on s'en vante et que l'on veut en tirer de la reconnaissance, des éloges ou de la publicité. Ce n'est qu'au bout de onze ans que j'ai décidé de briser ce silence et seulement parce que j'ai acquis la conviction de mieux servir cette cause et ces gens en alertant le public et en faisant part de mon expérience. Il y a tant de choses à accomplir. Le moindre geste compte : apporter des vêtements, des repas, des soins médicaux et psychiatriques, des premiers secours ; emmener quelqu'un aux urgences, donner une couverture, tendre la main. Il y a tant à faire et il faut tant de bras pour le faire. Ce livre est donc un appel au secours. Trop peu d'entre nous se tournent vers ceux qui sont dans la rue, victimes d'une guerre silencieuse et invisible, où trop de vies sont perdues alors qu'elles pourraient être sauvées si seulement l'opinion publique savait et agissait. Car, même s'il existe dans chaque ville des associations qui déploient une énergie extraordinaire pour venir en aide aux sans-abri de toutes les manières possibles, la situation a tendance à empirer et l'action des pouvoirs publics est beaucoup trop insuffisante. Il y a de plus en plus de gens dans la rue. Pour certains, c'est parce qu'ils perdent leur emploi, pour d'autres c'est à la suite d'une longue hospitalisation. Les raisons de leur déchéance sont innombrables, alors qu'il y a de moins en moins de crédits qui leur sont affectés. Pour tenter d'inverser les choses, il faudrait que chacun d'entre nous prenne conscience de la présence des sans-abri, cesse de se conduire comme s'ils n'existaient pas. Ils ont désespérément besoin de notre aide. Et il est impossible d'améliorer ou de changer ce que l'on refuse de voir.

Au cours de ces dernières années, j'ai compris que je devais leur donner plus que des vêtements chauds, des gants, une torche, une couverture, une bâche, un duvet, un peigne, un rasoir, ou de la nourriture. Je devais leur prêter ma voix, être leur porte-parole, moi qui me suis toujours efforcée d'être discrète. Car si je ne le faisais pas, moi qui les côtoie depuis onze ans et qui me soucie d'eux, qui d'autre s'en chargerait ? Après avoir longtemps affirmé que je resterais toujours dans l'ombre, j'ai réalisé que je devais parler et partager ce que j'ai appris. Etre leur voix dans ce monde qui les en a dépossédés. Ils ont besoin de logements, de soins médicaux, de formation professionnelle, d'une main pour les aider à sortir du gouffre où ils sont tombés. Mais avant tout, nous devons leur rendre l'espoir. C'est ce que je me suis efforcée de leur apporter durant toutes ces années, avec nos camionnettes. Nous nous arrêtions et nous leur donnions un sac rempli de tout ce qui leur était nécessaire pour survivre pendant des semaines et même des mois. C'était des gens que nous n'avions jamais vus et que nous ne reverrions sans doute jamais ; à qui nous ne demandions rien en retour. Absolument rien. Et notamment pas d'épouser nos convictions religieuses ou nos idées politiques. Ils ne savaient pas d'où nous venions ni pourquoi. Ils n'avaient pas à nous remercier, bien que tous l'aient fait, sans exception. Simplement, l'espace d'un instant, un instant inoubliable, ils savaient avec certitude que quelqu'un comme tombé du ciel se souciait d'eux et était là pour les aider, telle une réponse à leurs prières. Cela leur permettait de croire que la vie pourrait de nouveau leur sourire un jour. Car l'espoir, plus encore que l'amour, est le plus beau cadeau que nous puissions nous offrir les uns aux autres.

1

Comment et pourquoi Yo ! Angel !
a vu le jour

L'équipe d'aide aux sans-abri qui a changé ma vie et celle de beaucoup d'autres a vu le jour lors d'une période très sombre pour moi. Mon fils Nick avait montré très tôt des signes de troubles bipolaires. Il avait à peine dix-huit mois quand je me suis rendu compte qu'il était « différent ». Dès le départ, il avait été un enfant précoce (il a commencé à marcher à huit mois et pouvait s'exprimer en faisant des phrases complètes dans deux langues à l'âge de un an). Avant qu'il n'ait atteint ses quatre ans, j'avais compris qu'il souffrait de troubles graves. Mais lorsque je suis allée voir des médecins et des psychiatres, Nick avait alors cinq ans, tous ont minimisé mes inquiétudes et déclaré qu'il allait très bien. Vers ses sept ans, je savais, j'étais convaincue qu'il était malade et j'oscillais entre la panique et le désespoir, suppliant les spécialistes de l'aider tandis qu'ils cherchaient à me rassurer en affirmant que son comportement n'avait rien d'anormal.

Aucun d'eux ne me croyait – les choses ont changé aujourd'hui. Heureusement. Et de nombreux médecins tiennent compte du lien qu'une mère a avec son enfant et admettent que nous le connaissons mieux que personne.

Lorsque Nick était enfant, et ce n'était pas il y a si longtemps, la plupart des psychiatres croyaient que la maniaco-dépression, désignée de nos jours par le terme de « troubles bipolaires », ne pouvait être diagnostiquée que vers l'âge de vingt ans. On n'administrait aucun traitement médicamenteux avant. A l'époque, on soignait généralement cette maladie au lithium. Et cela a été considéré exceptionnel et presque révolutionnaire lorsqu'un spécialiste réputé en a prescrit à Nick. Mon fils avait alors seize ans. Pendant une brève période, ce fut pour lui un traitement miraculeux. Pour la première fois, il fut capable de mener une vie en apparence tout à fait normale, et un diagnostic fut enfin établi : il était bipolaire. A l'époque, c'était extrêmement rare, quasiment impensable, d'être diagnostiqué aussi jeune. De nos jours, on donne du lithium aux enfants soupçonnés d'être bipolaires dès l'âge de quatre ou cinq ans.

J'ai écrit un livre sur Nick, sur sa maladie, sa vie, ses victoires, ses défaites et notre amour pour lui. Il s'intitule *Un rayon de lumière*.

Avec ce traitement, Nick a vécu durant deux ans de façon tout à fait normale. A tel point qu'à dix-huit ans, il a décidé de l'arrêter. A mon grand chagrin (doublé de terreur), son état s'est très vite dégradé. Cinq semaines plus tard, il a fait sa première tentative de suicide et a failli réussir. Par miracle, il a survécu et m'a assuré qu'il ne recommencerait pas. C'est pourtant ce qu'il a fait dix jours plus tard – et il a de nouveau été sauvé. Après trois tentatives de suicide en trois mois, il a accepté de reprendre ses médicaments et son état s'est immédiatement amélioré. Avec la naïveté d'une mère qui aime son enfant, j'ai cru que nous avions gagné la partie. Il semblait mieux, plus heureux, plus dynamique, plus normal qu'il ne l'avait jamais été, jusqu'à ce qu'une violente dépression le frappe six mois plus tard. Sa dernière tentative de suicide eut lieu onze mois après la première. Malheureusement, celle-là fut un succès. Nick avait dix-neuf ans.

Ce fut une période atroce pour moi, pour mes enfants et pour tous ceux qui le connaissaient et qui l'aimaient. Bien que mes enfants m'aient apporté un immense réconfort, il a laissé un vide terrible dans nos vies et nous manquera toujours. Les mois qui suivirent sa mort furent épouvantables. Comme pour tous les parents qui perdent un enfant, chaque nouveau jour était un calvaire pour moi.

Pour ne rien arranger, comme c'est souvent le cas quand on traverse des épreuves de ce genre, mon couple a sombré. Je m'étais remariée relativement peu de temps auparavant, mais le poids de mon chagrin a été trop lourd à supporter pour mon mari et nous nous sommes séparés. Après la disparition de Nick, l'échec de mon mariage n'a fait qu'ajouter à ma détresse. La vie n'aurait pas pu me paraître pire. A l'approche des fêtes, je me suis retrouvée dans le plus complet désespoir.

Des années auparavant, j'avais tiré une grande leçon d'un accident qui était arrivé à ma fille aînée, alors âgée de quinze ans. Elle avait eu un grave accident de motocyclette, s'était blessé le genou et souffrait d'algodystrophie. Durant sept ans, elle avait dû subir de nombreuses interventions chirurgicales et de multiples séances de kinésithérapie très éprouvantes. Elle ne pouvait se déplacer qu'avec des béquilles ou en fauteuil roulant. Ç'aurait été affreux pour n'importe qui, à plus forte raison pour une adolescente. Elle se montra très courageuse. Pour lui changer les idées, un de ses médecins lui avait suggéré d'aider des gens qui avaient encore plus de problèmes qu'elle. Elle avait suivi son conseil et, peu de temps après, avait commencé à faire du bénévolat dans un service pour enfants cancéreux. Cette occupation lui permit non seulement de penser à autre chose qu'à sa luxation, mais aussi de trouver sa vocation. Elle passa énormément de temps avec ces enfants et s'attacha à eux. D'ailleurs, par la suite, elle fut durant plusieurs étés bénévole dans un camp de vacances pour enfants cancéreux. Aujourd'hui, après de longues études, elle est thérapeute et travaille à l'hôpital dans le service des enfants cancéreux. Elle y effectue un travail extraordinaire et j'ai énormément d'admiration pour elle. Et je suis sûre qu'au début, à quinze ans, aider les autres lui a permis de moins penser à sa jambe et à la douleur permanente qu'elle éprouvait.

Les premiers temps qui ont suivi la mort de mon fils et après mon divorce, je suis allée à l'église chaque jour, dans l'espoir de trouver un sens à ma vie et la force de surmonter ces épreuves. Je sais que tout le monde ne réagit pas ainsi, mais c'est ce qui m'a aidée à supporter ma peine et à tenir. Un soir d'hiver, particulièrement triste, alors que je songeais à ce que ma fille avait fait lorsqu'elle souffrait : aider des gens encore plus handicapés qu'elle, je me suis mise à prier. A l'époque, seuls mes enfants et ma foi me donnaient la force de continuer. Le visage dans mes mains, à genoux, dans l'église plongée dans l'obscurité, avec juste la lueur des cierges, j'ai prié pour trouver quelque chose qui me permettrait de tenir, de vivre, en secourant quelqu'un qui avait plus besoin de soutien que moi. La réponse s'est imposée, claire et forte, plus vite que je ne m'y attendais. Ce n'était certainement pas celle que je voulais entendre. Elle m'est venue très simplement : *Aide les sans-abri.* Et tout ce que j'ai trouvé à dire fut : « Oh non ! Pas ça ! Pas ça, s'il vous plaît ! »

Après être restée à genoux pendant un moment, j'ai allumé des cierges en essayant de me persuader que je n'avais pas entendu clairement ce message dans ma tête. Pourquoi pas un autre projet ? Comme travailler auprès d'enfants. J'étais douée pour cela. Ou dans un domaine propre, ordonné, confortable. Je me suis toujours sentie mal à l'aise, anxieuse, face aux gens excentriques ou un peu menaçants, effrayée lorsque des ivrognes ou des sans-abri m'abordaient dans la rue. Ce n'était pas des gens que je voulais voir. L'idée qu'ils puissent faire irruption dans ma vie bien nette, bien propre, bien organisée, ne me séduisait pas du tout, au contraire. J'avais toujours parfaitement tenu ma maison. Tout était impeccable et rangé, mes enfants étaient toujours propres et bien habillés. Mais soudain, avec la mort de mon fils et le départ de mon mari, tout n'était plus que chaos. Ma vie, ma tête, mon cœur étaient en proie au désarroi le plus complet. La mort de Nick m'avait quasiment détruite. Pendant les trois premiers mois, j'avais erré dans la maison en chemise de nuit, trop anéantie pour m'habiller ou me coiffer. Perdue.

Durant cette période si difficile, mes enfants furent fabuleux, aussi bien avec moi qu'entre eux. Ils firent preuve d'un esprit de solidarité étonnant de la part d'êtres si jeunes (cinq d'entre eux avaient entre neuf et quinze ans au moment de la mort de leur frère et vivaient donc encore à la maison). Nous avions toujours été proches, mais la disparition de Nick nous a davantage soudés et un lien encore plus fort nous unit depuis. Un soir que nous étions rassemblés pour dîner, peu après sa mort, je me souviens d'avoir pensé que nous étions comme les survivants du *Titanic*. Nous nous trouvions là, écrasés de douleur, la tête dans nos assiettes, négligés, à peine capables de parler, mais cependant accrochés les uns aux autres, résolus à nous en sortir et à recommencer à vivre un jour. Ce fut long et douloureux, ponctué de moments de dérive et de désespoir.

C'est dans cette atmosphère qu'est arrivé l'extraordinaire message que j'ai entendu à l'église. *Aide les sans-abri*. Non, non... Tout sauf ça. Je m'y suis opposée de toutes mes forces.

Curieusement, Nick avait toujours été très sensible au sort des sans-abri. Quand il en voyait un, il interrompait ce qu'il était en train de faire pour aller lui acheter de quoi manger et un paquet de cigarettes. Il n'était jamais trop occupé pour eux, trouvait toujours le temps de leur offrir quelque chose. Chanteur d'un groupe au succès grandissant, il donnait souvent des concerts dans des centres d'hébergement et s'y rendait chaque fois qu'il le pouvait. Par conséquent, je savais qu'aider les sans-abri faisait partie de ses priorités, et il m'était d'autant plus difficile de m'y refuser. Pourtant, l'idée ne me plaisait pas. Pas du tout.

En mémoire de Nick, j'avais créé une fondation pour venir en aide aux malades mentaux et à leurs familles. Cette fois, c'était différent. Il s'agissait des sans-abri. Mais comme l'idée m'était venue alors que je priais, elle possédait à mes yeux un caractère sacré. Noël approchait et j'avais l'impression que c'était le ciel qui venait de me confier une mission, que l'ordre émanait « d'en haut ». Malgré cela, ce soir-là, je passai encore un bon moment à genoux dans l'église à tenter de marchander avec Dieu. Pas ça... Pourquoi pas autre chose ? Mais rien n'y fit. Dans ma tête, le message continuait à se répéter : *Aide les sans-abri. Tant pis si ça ne te plaît pas. Tu as demandé qui aider. Je te l'ai dit. Maintenant vas-y.*

J'aurais préféré faire n'importe quoi plutôt que ça, mais j'avais l'étrange conviction de ne pas avoir le choix. Le seul fait d'y penser me terrifiait. La perspective de côtoyer les sans-abri me fichait une peur bleue. J'imagine que cette réaction n'avait rien d'unique, puisque la plupart d'entre nous se conduisent comme s'ils n'existaient pas. Les gens font mine de ne pas les voir, se détournent d'eux, évitent leur regard et, si possible, traversent la rue pour ne pas avoir à les croiser. Ils préfèrent de loin laisser à d'autres le soin de s'occuper d'eux. Et, pour être franche, j'étais pareille. Néanmoins, en tant que croyante, je me sentais investie d'une mission. Je n'étais pas ravie, certes, mais je ne pouvais pas faire marche arrière ni faire semblant de ne pas avoir entendu. J'ai quitté l'église, en regrettant d'avoir posé cette question.

De retour chez moi, j'ai longuement réfléchi. Non seulement ce soir-là, mais aussi le lendemain et le jour d'après. Je ne pouvais pas me défiler – l'ordre était clair. En fin de compte, j'ai capitulé, en me disant qu'une seule fois suffirait à satisfaire Dieu. Je pouvais quand même faire un effort ! Qui n'en serait pas capable ? Un soir, juste avant les vacances de Noël, j'ai demandé à un de mes employés de m'accompagner. J'avais acheté des blousons chauds, des sacs de couchage, des chaussettes et des gants en laine. Je ne me souviens pas du nombre, mais sans doute quarante ou cinquante de chaque. Nous avons tout chargé dans une camionnette et nous sommes partis, par un froid mordant. J'avoue que je serrais les dents et qu'en même temps j'étais stimulée, sans doute par la peur plus que par l'excitation. Je ne savais pas du tout qui nous allions trouver ni à quoi m'attendre. J'avais hâte de remplir ma mission, d'effectuer cette tâche et d'en finir. Rien dans le message que j'avais entendu ne suggérait que je devais renouveler l'expérience.

Je me souvenais d'avoir vu des sans-abri dans le quartier, dans des renfoncements de portes. Ce fut notre première halte. Ils s'étaient déjà installés pour la nuit, abrités par des morceaux de carton, s'efforçant tant bien que mal de lutter contre le froid. A chacun de nos arrêts, la réaction fut la même : d'abord la surprise, aussitôt suivie par la gratitude. Les visages s'éclairaient à la vue des duvets neufs, propres et de bonne qualité ; ils endossaient immédiatement les blousons chauds, remontant la fermeture jusqu'au cou ; retiraient leurs chaussures trouées pour mettre les grosses chaussettes, enfilaient les gants. Et alors que je les regardais faire, que je rencontrais leurs regards, que je touchais leurs mains, j'ai cessé d'avoir peur pour ne plus ressentir qu'une profonde humilité face à leur chaleur et à leur humanité. J'eus soudain honte de la mauvaise opinion que j'avais eue d'eux des années durant. Ce fut un des moments les plus marquants de ma vie.

Avec la mort de mon fils et mon divorce, j'avais appris une dure leçon : aussi aisée que soit notre situation, quel que soit notre standing, notre position dans la société, nous ne sommes pas aussi en sécurité que nous croyons l'être. Qui que nous soyons et quoi que nous possédions, nous sommes tous à la merci des tempêtes de la vie. J'avais perdu mon fils adoré, mon petit garçon, ainsi qu'un mari que j'aimais aussi. Je m'étais rendu compte que la tragédie et la déception peuvent frapper à tout moment. Pour moi, le pire s'était produit. Le malheur revêt de multiples formes, qu'il s'agisse de maladies épouvantables, d'incendies dans lesquels des familles entières périssent, d'accidents de la circulation qui tuent des enfants aimés des leurs, riches ou pauvres, ou de la misère de ces gens à qui je donnais des sacs de couchage. Pourquoi avaient-ils échoué dans la rue ? Jusqu'à quel point sommes-nous à l'abri ? Nous ne le sommes pas, voilà tout. Des tragédies frappent tous les jours des innocents. Jamais l'expression « par la grâce de Dieu » ne m'a semblé plus vraie que ce soir-là. Tout en distribuant vestes et duvets, je ne pouvais pas m'empêcher de penser que Nick aurait été fier de moi. J'avais si souvent eu un geste de recul en le voyant aller offrir un repas chaud à un sans-abri. Je faisais la moue et lui disais qu'il n'aurait pas dû les toucher parce qu'il aurait pu attraper une maladie. Que Dieu me pardonne. Le monde dans lequel j'ai pénétré ce soir-là dans la rue était bien différent de celui que je croyais trouver.

Après avoir fait notre distribution aux sans-abri de mon quartier, familier et paisible, nous avons traversé une frontière invisible et pénétré dans un territoire inconnu, des lieux beaucoup moins sûrs. Et il fut terriblement facile de trouver ceux pour lesquels nous venions. Ils étaient dans les embrasures des portes, sur les parkings, dans les ruelles obscures, parfois en petits groupes de cinq ou six, parfois deux, parfois seuls, toujours stupéfaits et incapables de comprendre ce qui leur arrivait. Pourquoi leur donnions-nous ce dont ils avaient désespérément besoin et n'exigions-nous rien en retour ? De quoi s'agissait-il ? Nous ne représentions aucune église, aucune organisation, aucune religion, aucune administration, aucun centre d'hébergement. Nous ne voulions rien d'eux. Nous nous arrêtions pour leur demander s'ils avaient besoin de ce que nous leur proposions et tous, sans exception, nous répondaient par l'affirmative. Certains se mettaient à rire, d'autres à pleurer, d'autres encore nous étreignaient, et quand nous partions, tous prononçaient les mêmes mots : « Merci. Que Dieu vous bénisse. » Tous. J'étais frappée par leur gentillesse, leur pudeur, leur politesse. Je ne suis pas sûre que mes amis m'auraient remerciée avec la même promptitude, et je ne me souvenais pas de la dernière fois où quelqu'un m'avait dit « Dieu vous bénisse », même à l'église.

Une ou deux fois, les fixant au fond des yeux, je leur ai murmuré :

— S'il vous plaît, dites une prière pour un jeune homme qui s'appelait Nick.

J'étais gênée de leur demander cette faveur, mais les mots jaillissaient d'eux-mêmes. Combien de fois avait-il offert un repas à l'un d'eux, ou chanté pour eux dans les centres ? Peut-être pouvaient-ils dire une petite prière pour lui à présent. Il nous avait quittés exactement trois mois plus tôt.

Je n'ai pas posé de questions aux sans-abri que j'ai rencontrés ce soir-là, et je ne l'ai jamais fait depuis. On se demande toujours comment ils basculent dans la rue. Est-ce affaire de malchance, d'alcool, de drogue ? De maladie, de surendettement, de mariage raté ? Peut-être tout cela à la fois ? Quand j'allais vers eux, je ne connaissais pas les réponses à ces questions et j'avais le sentiment de ne pas avoir le droit de les poser. L'expérience aidant, dans certains cas j'ai pu deviner, et puis certains m'ont raconté leur histoire, mais je ne leur ai jamais demandé de le faire. Taire les raisons de leur déchéance représente le dernier vestige de leur dignité. Ils n'avaient pas à me dire ce qui leur était arrivé pour « payer » ce que je leur donnais. Je leur offrais mon cœur et mon respect, ils n'avaient pas à me livrer quoi que ce soit en échange et sûrement pas l'histoire de leur vie. Nous ont-ils donné l'impression de boire ou de se droguer ? Oui. Certains souffraient-ils de troubles mentaux ? Je dirais oui également. Et, à vrai dire, beaucoup d'entre eux, voire la plupart. Aux Etats-Unis, en raison du manque d'infrastructures et de fonds alloués à l'hébergement et à l'accompagnement des malades mentaux, beaucoup d'entre eux errent dans les rues sans soins ni assistance. Si je me retrouvais dans la rue en hiver, sans l'espoir d'en sortir, je ne peux pas jurer que je n'aurais pas recours, moi aussi, à la drogue ou à l'alcool, même si je ne m'y suis jamais adonnée. Confronté à leur situation, qui sait ce que ferait n'importe lequel d'entre nous ? Chacun survit comme il peut. Ceux qui sont atteints de troubles mentaux et qui, faute d'argent, ne peuvent avoir accès à des traitements, se tournent bien souvent vers l'alcool et la drogue pour atténuer la souffrance causée par leur maladie et leur quotidien.

Ai-je eu l'impression d'être en danger ? Non. Y a-t-il eu des signes de violence ou des menaces à notre encontre ? Non. Les SDF étaient transis, glacés, ils grelottaient, mais ils étaient avant tout reconnaissants et toujours gentils. Cette première nuit, nous sommes allés dans des quartiers moins favorisés que le mien, mais nous ne nous sommes pas aventurés dans les zones vraiment dangereuses où nous ferions nos maraudes par la suite. C'était notre baptême de la rue, et il s'est déroulé en douceur. L'employé qui m'accompagnait était aussi impressionné que moi. Tout était improvisé, puisque nous n'avions aucune idée de ce que nous faisions ni comment nous y prendre.

Nous avions entassé en vrac au fond de la camionnette des piles d'anoraks (en une seule taille, L, je crois) et des duvets, et nous étions constamment en train de chercher une chaussette ou un gant. Nous les donnions, puis nous allions un peu plus loin. Ça n'avait rien d'efficace, mais nous étions heureux de notre initiative. A nos yeux, la nuit se passait bien. En l'espace d'à peine une heure, nous avons distribué tout notre stock et rencontré tant de gens qui avaient tant de besoins que nous aurions pu distribuer des centaines d'anoraks et de sacs de couchage, peut-être même un millier. En donner quarante ou cinquante était un peu comme vouloir vider l'océan avec un dé à coudre. Jamais je ne m'étais sentie aussi petite, aussi insignifiante.

C'était dur de se trouver face à une telle misère, à un tel dénuement, et de se savoir si impuissant. Cela me bouleversait. A mes yeux, cette expérience était unique. Dieu m'avait dit d'aider les sans-abri mais il ne m'avait pas précisé combien de fois. Et pour moi, une fois suffisait. En descendant de la camionnette, j'étais émue et satisfaite. C'était la meilleure nuit que je passais depuis longtemps, certainement la plus utile, et elle m'apportait un sentiment de paix que je n'avais pas connu depuis la mort de mon fils. Comme je l'imaginais, pendant un bref moment tout au moins, j'avais cessé de ressasser ma peine. Ces sans-abri étaient, sans l'ombre d'un doute, bien plus malheureux que moi. Ma mission, en cette froide nuit de décembre, était un succès.

Ainsi que je l'ai découvert au fil des années, lors de chacune de nos sorties nocturnes, Dieu nous a toujours, sans exception, réservé une surprise à la fin de la tournée. La première fois, sur le chemin du retour, en passant devant une banque, nous avons remarqué deux piles d'affaires, des cartons, une couverture, et des choses qu'on prend souvent pour des débris jusqu'au moment où on se rend compte que c'est la maison de quelqu'un, sa « cabane », dans le langage de la rue. Nous nous sommes arrêtés. Jusque-là, tout s'était bien déroulé. Nous étions convaincus d'avoir fait une bonne action et, bien que ç'ait été une expérience extraordinaire, j'étais reconnaissante de ne pas avoir à la renouveler.

En approchant de l'entrée de la banque, abritée par un auvent, nous n'avons tout d'abord aperçu qu'une seule personne, ou plutôt une seule forme. Elle était allongée sur un carton et recouverte d'une mince couverture crasseuse, si bien qu'il était impossible de deviner son sexe ou son âge. Comme un fauteuil roulant avait attiré mon regard à côté du petit campement, j'ai supposé que nous allions trouver une personne âgée. Quand nous avons appelé pour savoir si elle avait besoin d'un duvet ou d'un vêtement chaud, une jeune femme s'est redressée et m'a regardée dans les yeux. Elle était très belle, avec un visage angélique, de grands yeux bleus et de longs cheveux blonds, brossés avec soin. Elle semblait effrayée, et nous lui avons expliqué que nous avions des vestes chaudes, des sacs de couchage, des gants et des chaussettes à sa disposition. En fait, il ne nous en restait que deux et nous avions pris soin de ne pas nous arrêter devant des groupes en rentrant, de manière à ne décevoir personne et à ne causer aucune bagarre. Cet arrêt était notre dernier.

— Vous les donnez ? a-t-elle dit, l'air stupéfaite.

J'ai hoché la tête en souriant. Son visage s'est alors défait sous mes yeux et elle s'est mise à pleurer. Incapable de parler, elle est restée simplement assise là dans la rue, à sangloter, grelottant de froid. Quand elle s'est reprise, elle nous a remerciés avec effusion, nous expliquant qu'elle campait là avec sa mère, qui était partie aux toilettes dans un McDonald's tout proche et qui n'allait pas tarder à revenir. Nous avons sorti de la camionnette les affaires qui restaient, en regrettant de ne pas en avoir davantage. Quand nous sommes revenus, elle nous a révélé qu'elle avait vingt et un ans, qu'elle était atteinte d'un cancer, qu'elle venait d'entamer une chimiothérapie et qu'elle commençait à perdre ses cheveux. En l'écoutant, j'eus le cœur serré. Elle aurait pu être une de mes filles. Comment pouvait-elle vivre dans la rue, avec pour seul lit un carton et une vieille couverture déchirée, et subir en même temps des séances de chimio ? Elle continuait à nous remercier en pleurant, n'osant croire que nous lui offrions quelque chose, quand sa mère est revenue. Nous avons alors longuement parlé avec elles. Toutes les deux avaient peur de retourner dans un centre d'hébergement parce qu'on leur y avait fait du mal. (J'ai appris par la suite que vols, viols et brutalités y sont monnaie courante. C'est pourquoi beaucoup de sans-abri préfèrent rester dans la rue, où ils se sentent plus en sécurité, plutôt que de risquer de se retrouver confrontés à la violence dans un centre.) Les deux femmes se sont hâtées d'enfiler les vestes et se sont glissées dans les sacs de couchage puis, après avoir encore bavardé un peu avec elles, n'ayant plus rien à leur apporter, nous leur avons souhaité bonne chance. Elles nous ont abondamment remerciés et nous sommes partis. Nous sommes alors remontés dans la camionnette et n'avons pas échangé un seul mot jusqu'à la maison. Je voyais défiler toutes les images de cette soirée et j'avais le cœur qui saignait pour cette jeune fille si belle et si malade. J'étais hantée par son visage et par son récit. Je ne le savais pas encore en arrivant chez moi et en descendant de la camionnette, mais cette rencontre allait changer ma vie. C'était une surprise de Dieu, une surprise aussi violente que si j'avais reçu un coup de poing en pleine figure. Je ne pouvais oublier cette jeune fille et son existence tragique. Je ne pouvais plus oublier les visages que nous avions croisés.

2

Deuxième nuit dehors

Le lendemain de notre sortie pour « aider les sans-abri » (quelle aide ? quelques blousons et sacs de couchage ? compte tenu des besoins, je ne cherchais pas à me raconter des histoires) eut lieu la grande réception que j'organise chaque année avant Noël depuis vingt ans. Je reçois une centaine d'invités, parmi lesquels des personnalités mondaines, quelques célébrités, le maire, des hommes politiques, une représentante du Congrès, un sénateur et plusieurs juges. Même si je passe mon temps à emmener mes enfants chez l'orthodontiste, aux matchs de football, et à faire la navette entre les cours de danse et les copains – ce qui est le quotidien d'une mère de neuf enfants –, j'ai toujours attaché beaucoup d'importance à mes soirées, et tenu à ce qu'elles soient réussies. Cette année-là, j'avais envisagé de l'annuler, mais je m'étais dit qu'il serait encore plus déprimant pour les enfants et pour moi de rester seuls à la maison, où tout était triste, sans observer les traditions et voir des amis. Je donnai donc la réception habituelle. Je portais une robe longue en velours noir, les invités étaient tous en habits et robes du soir. J'avais fait venir un orchestre. C'était une magnifique soirée, même si je n'y prenais guère de plaisir. Mais revêtir une robe de bure et me couvrir la tête de cendres n'aurait rien changé à ma détresse et à celle des sans-abri. Certaines choses peuvent faire une différence, mais annuler ma réception de Noël n'en faisait pas partie. C'est pourquoi la fête se déroula comme d'habitude, mais j'avais l'esprit ailleurs. J'étais hantée par ce que j'avais vu la nuit précédente. J'étais nerveuse, distraite, je m'inquiétais pour cette jeune fille et sa mère rencontrées lors de notre dernière halte.

Assise à côté du maire, j'ai abordé d'un ton dégagé la question du nombre apparemment croissant de sans-abri. Le maire, qui était un ami très cher, s'est plaint avec une certaine irritation que ceux qui essayaient d'aider les sans-abri ne savaient pas ce qu'ils faisaient et qu'ils aggravaient la situation. Plus on leur donne, s'est-il écrié, plus ils voudront rester dans la rue. Sa théorie m'a paru étrange. Pourquoi quelqu'un voudrait-il rester dans la rue parce qu'on lui offre un duvet et une paire de chaussettes ? Cela n'avait aucun sens pour moi (et cela n'en a toujours pas, bien que ce soit l'excuse la plus fréquemment utilisée par les gens qui ne font rien pour aider les sans-abri). Nous avons rapidement changé de sujet et la soirée s'est poursuivie. Le maire et moi avons dansé ensemble une fois ou deux. Et, à la fin, tout le monde est parti. Mais à présent, je savais ce que je voulais. Tout était clair.

Je savais que je devais trouver la jeune fille et sa mère et j'espérais qu'elles seraient au même endroit que la veille, devant la banque.

L'employé qui m'avait aidée était là et je lui ai aussitôt fait part de mon intention. Enthousiaste, il a immédiatement accepté de m'accompagner. Je me suis précipitée au premier étage, j'ai retiré ma robe, enfilé un jean, des bottes, un pull, un bonnet et une parka. Cinq minutes plus tard, nous étions en route. Un instant, j'eus l'impression d'être Robin des bois. Une heure plus tôt, je dansais avec le maire, et voilà que je partais en maraude en pleine nuit, à bord d'une camionnette. A ma grande consternation, en arrivant à la banque, nous ne vîmes personne. L'endroit était désert. Ce qui m'avait semblé être une bonne idée ne menait nulle part. Nous n'avons toutefois pas voulu renoncer et sommes partis à leur recherche. Je ne voulais pas rentrer sans les avoir vues. Je ne supportais pas l'idée que cette jeune fille malade et sa mère soient dans la rue. Il était tard, mais nous avons persévéré et nous les avons enfin retrouvées, dans un coin de parking non loin de là. Le reflet du métal du fauteuil roulant avait attiré notre attention. J'ai réveillé doucement la jeune femme et sa mère. Nous leur avons proposé de les conduire dans un centre, mais elles ont refusé. Je leur ai alors donné une somme suffisante pour qu'elles puissent passer une semaine à l'hôtel. Il y eut à nouveau des larmes, des étreintes, des remerciements. Je leur laissai mon numéro de portable en leur demandant de m'appeler pour donner de leurs nouvelles.

35

Durant les mois qui suivirent, nous sommes allés souvent les voir dans la rue et nous nous sommes fréquemment téléphoné. Par deux fois, j'ai réussi à les faire entrer dans un centre d'hébergement pour femmes mais elles n'ont pas voulu y rester. Nous les avons suivies pendant près d'un an. Nous ne pouvions pas leur apporter une aide conséquente, mais elles avaient conscience qu'enfin quelqu'un se souciait d'elles. Malheureusement, elles finissaient toujours par retourner dans la rue. La mère était d'un tempérament coléreux et supportait mal les règles du centre. Puis, un jour, nous avons appris que la jeune femme était morte. Sa mère avait disparu et je n'ai jamais pu la retrouver. Je n'ai jamais su ce qui lui était arrivé. Quoi qu'il en soit, c'est cette jeune femme au visage angélique et aux manières si douces qui m'a incitée à poursuivre mon action dans la rue durant toutes ces années. Je ne l'ai jamais oubliée et je ne l'oublierai jamais. De nombreux visages sont restés gravés dans mon cœur et dans ma mémoire, mais cette jeune fille a eu pour moi une importance particulière. Je regrette de ne pas avoir pu l'aider davantage, mais je suis heureuse qu'elle ait su qu'elle comptait pour nous. C'était tout ce que nous avions à lui offrir. Cela et l'espoir. D'ailleurs, aussi longtemps que nous avons pu, nous avons essayé de lui en donner. Malheureusement, malgré le mauvais temps, les mauvaises rencontres et les mauvaises expériences, sa mère et elle, comme beaucoup d'autres sans-abri, se sentaient plus en sécurité dans la rue que dans les centres, qui leur semblaient encore plus dangereux, avec leur violence gratuite et toutes les maladies que l'on pouvait y attraper. J'ai connu des sans-abri qui avaient fini par obtenir un logement. Mais lorsqu'ils s'y retrouvaient, alors qu'ils l'avaient longtemps désiré, ils ne supportaient pas l'isolement qu'ils découvraient soudainement, sombraient dans la dépression et parfois même se suicidaient. Malgré les risques et la dureté de la rue, elle représente pour eux un univers familier, à certains égards rassurant.

Après cette seconde rencontre avec la jeune femme et sa mère, j'avais le sentiment de m'être acquittée de ma tâche, d'avoir rempli ma mission. Pourtant quelque chose en moi avait changé au cours de ces deux nuits et m'avait transformée à jamais. Après une telle expérience, on n'est plus celle ou celui qu'on était « avant ». On n'est jamais, jamais plus la ou le même. Découvrir ceux qui vivent dans la rue vous transforme de manière définitive. Mais, à l'époque, je ne le savais pas.

A ce moment-là, je croyais m'être libérée de mes obligations. Le message que j'avais entendu ne m'ordonnait pas de m'y atteler de manière régulière. Je suis donc retournée à mes occupations, à mon travail et à mes enfants. Sans la moindre intention de recommencer. Et puis, une semaine plus tard, juste avant Noël, je l'ai de nouveau entendu. Cette fois, on m'enjoignait d'y retourner et de recommencer. J'étais moins réticente que la première fois, mais j'admets avoir un peu traîné les pieds avant de céder. Parfois, Dieu est du genre à insister, et lourdement. Comme ce jour-là.

J'ai demandé à deux de mes employés et à un couple d'amis de m'accompagner. La camionnette était pleine à craquer. Cette fois-ci, nous avions soixante-quinze lots et des anoraks en deux tailles (une plus petite pour les femmes). La nuit était froide et il pleuvait à torrents lorsque nous avons entamé notre deuxième maraude. En partant ce soir-là, je n'ai pas pu m'empêcher de me demander si ce serait notre dernière sortie. Je n'en étais pas sûre et, pour comble, je n'étais même pas sûre de le désirer.

Le couple qui était venu était parfait pour ce genre d'activité. C'étaient des amis proches et de longue date, qui travaillaient depuis des années pour des associations caritatives. Ils allaient voir des malades du sida et leur apportaient réconfort et de quoi se nourrir. Affronter la misère ne les choquait pas et ils avaient tenu à venir m'aider dans ma tâche vis-à-vis des sans-abri. Ils étaient les seuls à qui j'avais parlé de mes sorties.

John et Jane sont des gens pleins de bonté. Ils ont de l'énergie et des idées et n'hésitent pas à retrousser leurs manches et à mettre la main à la pâte. Bien qu'artiste de talent, Jane a longtemps travaillé dans le commerce. Quand je lui ai fait part de mon projet, elle s'est aussitôt chargée de commander et de faire livrer tout ce dont nous avions besoin. Quant à John, professeur dans une université réputée, il s'occupe beaucoup des jeunes et est toujours prêt à apporter son aide aux plus démunis.

Nous pensions que notre seconde virée dans les rues serait sans lendemain et que nous nous arrêterions là, surtout que notre organisation laissait à désirer. Une fois de plus, les anoraks étaient empilés n'importe comment, les sacs de couchage disséminés un peu partout, les cartons de gants et de chaussettes débordaient. Nous étions pleins de bonne volonté, mais nous n'avions aucune idée de ce qui nous attendait. Je ne connaissais rien à la population de la rue, à ceux qui la composaient et à ses besoins. Tout ce que je savais, c'était que les SDF souffraient du froid et de l'humidité, et que tout ce que nous pourrions leur apporter améliorerait leur condition. Je me rendais compte aussi qu'ils avaient faim, mais leur offrir de quoi manger me semblait beaucoup trop compliqué. Nous en sommes donc restés à l'idée initiale, qui était de leur fournir anoraks, gants, chaussettes et sacs de couchage. Nous ne pensions pas pouvoir faire mieux.

Nous sommes donc partis, excités et pleins de bonne volonté, bavardant avec animation. Je portais des vêtements de marin, ceux que j'utilisais pour faire de la voile. Avec ma salopette, ma veste à capuche et mes bottes, je devais ressembler à un canard. Les autres arboraient des tenues similaires, censées être imperméables, mais malgré cela, dès notre deuxième ou troisième arrêt, nous étions tous trempés. Poussée par un vent fort, la pluie tombait à l'horizontale et il ne semblait pas y avoir moyen de rester au sec. Mais si nous avions froid, que dire de ceux pour qui nous nous arrêtions ? Certains ne portaient qu'un tee-shirt plaqué à leur peau par la pluie, un jean dégoulinant, des chaussures usées jusqu'à la corde. Beaucoup étaient pieds nus. Tous grelottaient, certains étaient malades, toussaient ou avaient de la fièvre. Très peu d'entre eux possédaient un vêtement chaud. Nous devions leur faire l'effet d'un groupe d'extraterrestres, surtout moi avec ma tenue jaune canard ridicule.

Notre bonne humeur et notre optimisme diminuèrent à mesure que la soirée avançait, et bientôt nous arrêtâmes aussi nos mauvaises plaisanteries. Ce que nous découvrions était trop dur, trop triste. Les gens étaient glacés, abattus, souvent souffrants. Les femmes pleuraient, les hommes semblaient hagards. Nous aurions voulu les serrer dans nos bras au lieu de leur donner un anorak. Nos dons semblaient dérisoires au regard de leur sort si misérable. De plus, nous étions juste avant Noël, même si, dans la rue, cela ne semblait pas avoir la moindre importance. D'ailleurs, aucun de nous n'y fit allusion de toute la soirée.

J'aimerais pouvoir raconter des anecdotes amusantes concernant nos virées nocturnes, prendre un ton léger, mais ce n'est pas possible ! Au début, dans la camionnette, nous plaisantions beaucoup, mais je crois que c'était surtout pour cacher notre nervosité. Nous étions dans un univers qui nous était étranger, même si nous circulions dans notre propre ville. Parfois, quand on a peur, il est plus facile de rire et de plaisanter que d'admettre son désarroi. D'ailleurs, au départ de presque toutes les maraudes qui suivirent, il y eut beaucoup de mauvaises blagues et de moments cocasses dans la camionnette. Puis, à mesure que la nuit avançait, l'ambiance changeait et devenait plus sombre. Rien ne prêtait à rire. Tout était émouvant, cruel, poignant. C'était comme si on avait le cœur qui s'accrochait à des fils barbelés, et qu'on en laissait une partie à chaque arrêt.

Ce soir-là, je me suis penchée sur un vieil homme qui dormait sur le parvis d'une église. La pluie tombait à seaux. Je l'ai réveillé doucement. Je tenais un anorak qui me semblait être à sa taille, et un duvet roulé sous le bras. Quand il a ouvert les yeux, il m'a regardée d'un air hagard. Il devait avoir bu (c'était peut-être la seule manière pour lui d'avoir chaud ou d'oublier la réalité de sa vie). Il a cillé, ahuri par ce qu'il voyait.

— Je suis mort ? a-t-il demandé d'un air stupéfait.

— Non, non.

Après l'avoir rassuré, je lui ai donné ce que je lui avais apporté. Il semblait dans un état second et continuait à me fixer quand j'ai redescendu les marches en courant pour aller rejoindre les autres. C'est alors qu'il a crié pour me remercier et me bénir. Et comme je me retournais pour lui faire un signe, je l'ai vu qui enfilait l'anorak tant bien que mal et qui déroulait le duvet en secouant la tête.

Nous n'avions pas le sentiment d'accomplir une mission, et je doute qu'aucun d'entre nous ait pu mettre un nom sur ce que nous faisions. C'est venu beaucoup plus tard. A nos yeux, ces premières nuits étaient des gestes sans lendemain. Nous sentions que nous devions les faire, mais nous ne pensions pas qu'ils dureraient. Ce soir-là, nous sommes allés dans des quartiers douteux, sans ressentir la moindre impression de danger. Les gens avaient trop froid, étaient trop trempés, trop accablés pour constituer une menace. Plus tard, beaucoup plus tard, nous nous sommes rendu compte que ces nuits de pluie et de froid, ces nuits si dures, si déprimantes, étaient celles durant lesquelles nous avions le moins de craintes à avoir. Lorsque les gens ne pensent qu'à leur survie, ils n'essaient pas de faire du mal, à de rares exceptions près. Parfois, durant des nuits plus douces, plus clémentes, une tension presque palpable règne dans la rue. On sent que certains cherchent la bagarre, qu'ils sont furieux de ce qui leur arrive. Pour nous, c'étaient des moments stressants. Les longues soirées d'été étaient dangereuses parce que nous pouvions être repérés de loin par des individus malintentionnés, envers nous ou envers d'autres sans-abri. Les conditions de travail étaient plus difficiles dans l'obscurité et le mauvais temps, mais elles étaient plus sûres pour l'équipe.

Lors de cette deuxième nuit, il n'y eut aucune sensation de danger, seulement la douleur de découvrir des gens qui souffraient du froid et qui étaient affreusement mal. Les anoraks et les duvets leur apportaient une amélioration, mais c'était loin d'être suffisant. Ce qui me frappa lorsque nous nous arrêtions, c'est le sentiment qu'au-delà des vêtements que nous leur apportions, ils avaient conscience que des inconnus se souciaient suffisamment de leur sort pour venir les trouver. Peut-être aurions-nous tout aussi bien pu leur apporter des cartons, des cageots ou une paire de vieilles bottes en caoutchouc. L'essentiel pour eux était de savoir que quelqu'un était sorti sous la pluie battante pour leur tendre la main. Le plus beau des cadeaux était celui de l'espoir. Si quelqu'un pouvait tomber du ciel sans crier gare et sans arrière-pensée pour eux, pourquoi cela ne se produirait-il pas dans notre vie à nous aussi ? Ce cadeau était aussi important pour eux que pour nous. On a tous besoin d'espoir. Celui de voir les choses changer, d'être aimé, de découvrir que la vie n'est pas faite que de déceptions et de malheurs, mais aussi de joies et de moments de bonheur.

A l'un de nos derniers arrêts, nous avons remis des affaires à un homme imposant, une force de la nature, dont j'aurais peut-être eu peur si je m'étais trouvée seule avec lui dans une ruelle sombre. Il a levé les yeux au ciel, avec un sourire éblouissant, le plus beau sourire que j'aie jamais vu, et il s'est mis à rire, en criant « Merci, DIEU ! », se faisant l'écho de mes propres pensées. Et bien sûr, il nous a remerciés, alors que nous repartions.

Partout où nous passions, les gens nous demandaient d'où nous venions, à quelle église, quelle association, quelle organisation nous appartenions. Invariablement, nous leur répondions que nous venions de nulle part, que nous étions juste un groupe d'amis qui voulait les aider. Il était impossible de leur expliquer nos raisons parce que nous ne les connaissions pas nous-mêmes, hormis le message que j'avais reçu dans l'église, et qui me semblait bizarre, même à moi. Je n'en ai parlé à personne. Les gens à qui nous remettions anoraks et sacs de couchage étaient surpris et ébahis, mais contents et reconnaissants.

Cette fois-là, nous étions plus nombreux et avions plus d'anoraks et de sacs de couchage, et nous avons fait preuve de plus d'inorganisation que lors de notre première sortie. Dès que nous nous sommes arrêtés, les chaussettes et les gants se sont mélangés, les duvets sont tombés sur la chaussée, par chance dans leurs emballages en plastique, les anoraks ont glissé partout. Avoir deux tailles était logique mais nous compliquait les choses. Nous étions constamment en train de demander :

— Des chaussettes, j'ai besoin de chaussettes !… Je ne trouve pas les anoraks en L… Passe-moi une M… une M !

Si notre intention était bonne, l'organisation restait à revoir. Nous étions sérieux, mais très amateurs. Nous finissions tout de même par trouver ce que nous cherchions, non sans mal. Et tout disparut très vite. Une fois de plus, je fus surprise de la rapidité avec laquelle nous avions épuisé notre stock, alors qu'il restait tant de gens à pourvoir.

Nous avions préparé des affaires pour soixante-quinze personnes et en seulement deux heures la camionnette fut vide. J'ai toujours détesté le moment où il fallait prendre le chemin du retour en s'efforçant de ne pas voir, devant les portes, les gens que nous n'avions pas pu aider. C'était si pénible qu'il n'y a aucun mot pour l'exprimer, et parfois nous pleurions en passant devant eux. Je rentrais en songeant non seulement à ceux que nous avions aidés mais aussi, le cœur serré, à tous les autres, et d'ailleurs davantage à ceux-là. Une fois de plus, j'avais l'impression de vouloir vider l'océan avec un dé à coudre. Et nos dés étaient si petits et l'océan si vaste, leur dénuement si grand !

Contrairement à ce que s'imaginent la plupart des gens, personne ne nous avait demandé d'argent.

La question ne s'était pas posée. En onze ans de sorties dans la rue, on ne m'a demandé de l'argent qu'une seule fois, et c'était seulement un dollar. Les gens acceptaient nos dons avec tant de gratitude qu'il ne leur venait pas à l'esprit de réclamer davantage. De temps à autre, quelqu'un quémandait une cigarette, mais rarement. Ils étaient ravis de ce que nous leur apportions, et incroyablement reconnaissants. Ils l'auraient sans doute été tout autant si nous ne leur avions donné que des chaussettes ou des gants. Ce sont des êtres qui n'attendent plus rien de la vie, et tant parmi eux ont perdu l'espoir qu'ils s'émerveillent du moindre cadeau. Ils m'ont beaucoup appris sur la gratitude, la capacité à se contenter de ce que l'on a ou de ce que l'on vous donne, sans désirer davantage.

Notre petite équipe avait bien travaillé cette nuit-là. Jane était chargée du stock dans la camionnette et nous tenait au courant de ce qui nous restait, au fur et à mesure de nos haltes. Nous savions que nous n'en aurions pas assez pour tout le monde, et nous faisions notre possible pour ne pas nous arrêter devant des groupes trop nombreux. Il aurait été triste de les décevoir, et nous ne voulions pas non plus risquer de nous retrouver face à leur frustration ou leur colère. Jane nous informait constamment et semblait être partout, nous passant ce dont nous avions besoin, grimpant parfois par-dessus le stock. On aurait dit qu'elle avait dix bras ! John semblait dans son élément, heureux d'être là. Son regard était empli de bonté et tous lui témoignaient la même chaleur en retour. Tony, un de mes employés, parlait espagnol et cela se révélait parfois bien utile. Il distribuait les lots avec une gaieté et une bonne humeur communicatives. Quant à Younes, mon autre employé, il nous conduisait d'un arrêt à l'autre, et sa stature et son calme impressionnants suffisaient à assurer notre sécurité partout où nous allions. Je sentais aussi la présence de mon fils Nick tout près de moi. Je pensais beaucoup à lui et je voulais qu'il soit avec nous d'une manière tangible, car, indirectement, c'était lui qui était à l'origine de notre action. C'est pourquoi, juste avant de partir, j'avais mis sa montre. Cela me réconfortait de l'avoir à mon poignet, c'était comme s'il se trouvait réellement parmi nous et participait à ce que nous faisions. Je porte toujours sa bague, et, après ce soir-là, j'ai toujours porté sa montre lors de nos maraudes. Ainsi, il était avec nous et à chaque fois que je la regardais, je sentais Nick à mes côtés.

Notre sortie avait été positive, bien que pénible à cause de la pluie. Sur le chemin du retour, nous nous remémorions certains visages et certaines situations. Il nous restait juste un lot et nous savions que, pour le donner, il nous fallait trouver une personne seule. La plupart des sans-abri s'installaient par deux pour la nuit, mais nous avons continué à ouvrir l'œil au cas où. Et, bien sûr, la fameuse dernière surprise de Dieu est arrivée, nous rappelant la raison de notre action. Comme avec la jeune fille atteinte du cancer que j'avais rencontrée le premier soir, ce dernier arrêt m'a fortement émue. D'abord, je n'ai fait que l'apercevoir. Nous avions failli passer sans le remarquer. Il était assis devant une porte, dans une ruelle, silhouette solitaire, dont la taille correspondait exactement à celle de l'unique anorak qui restait. J'ai demandé à Younes d'arrêter la camionnette. Nous sommes descendus et je me suis approchée. Il s'agissait d'un jeune homme, presque un adolescent. Je ne sais pas pourquoi, mais je savais que ce garçon m'était destiné. Et encore maintenant, je pleure en écrivant ces mots. En arrivant près de lui, j'ai vu combien il était jeune. Il avait de longs cheveux blonds et un beau visage couvert de plaies. Forcément, j'ai pensé au sida, mais je ne réfléchissais pas vraiment en le regardant. C'était l'émotion qui dominait. Il marmonnait des paroles incohérentes, et ses yeux bleus ne semblaient pas me voir. Il devait avoir dix-neuf ou vingt ans, le même âge que Nick, et toutes mes pensées allaient à sa mère, qui serait morte de chagrin si elle l'avait vu.

Ce n'était qu'un gosse, assis sur une marche, trempé jusqu'aux os, vêtu d'une chemise et d'un jean. Il n'avait qu'une seule jambe. L'autre était amputée à hauteur du genou, et ses béquilles gisaient dans la rue. Je suis allée vers lui, incapable de parler ni même d'empêcher les larmes de rouler sur mes joues, tandis qu'il délirait. J'ai finalement pu parler et je lui ai dit que nous avions un vête-ment chaud et un duvet pour lui. Il a acquiescé. Mais, quand j'ai proposé de l'emmener quelque part, il a secoué la tête avec véhémence. J'étais telle-ment émue que je me suis même demandé si mon esprit ne me jouait pas des tours. N'était-ce pas une vision qui m'aurait été envoyée dans le seul but de me faire comprendre à quel point on avait besoin de nous ? Si Nick n'avait pas été soigné avec tant d'amour et protégé durant toute sa vie, si je n'avais pas pu lui apporter les soins nécessaires, peut-être aurait-il fini ainsi, amputé d'une jambe, en proie au délire, grelottant dans ses vêtements trempés au fond d'une rue. Ce garçon semblait avoir le même âge que mon fils, et souffrait peut-être de troubles mentaux. Tout en essayant d'aider ce jeune, j'avais conscience que je le faisais aussi pour sa mère. J'espérais que si ç'avait été Nick, une autre femme l'aurait fait pour moi.

J'ai posé les affaires près du jeune homme et je suis restée debout un bon moment, pendant qu'il reculait lentement contre la porte, un peu plus à l'abri de la pluie. Nous sommes restés ainsi à nous regarder pendant de longues minutes, puis je lui ai dit « Que Dieu vous bénisse », parce que je ne savais pas quoi dire d'autre. Et il m'a fallu toutes mes forces pour me détourner et m'éloigner, le laisser là et ne pas mettre mes bras autour de lui. Je pleurais encore quand je suis remontée dans la camionnette. Sur le chemin du retour, personne ne prononça la moindre parole. Nous restâmes tous silencieux. C'était l'avant-veille de Noël et je savais que ce garçon venait d'entrer dans mon cœur et qu'il y resterait toujours. Contrairement à d'autres que j'ai croisés à plusieurs reprises au fil des années, je ne l'ai jamais revu. Je ne crois pas qu'il soit encore en vie, étant donné son état ce soir-là. J'ai rendu grâce à Dieu que Nick n'en soit jamais arrivé là. Et j'ai songé à la chance que nous avions eue de l'avoir, malgré ce qui est arrivé.

3

Yo ! Angel ! L'équipe

Après notre deuxième soirée dans la rue, j'étais persuadée d'avoir rempli ma mission. J'avais entendu le message et suivi ce qu'il me demandait. Par deux fois. Trois, si on comptait celle où j'étais retournée voir la jeune fille atteinte du cancer, après ma réception de Noël. Pourtant, quand janvier arriva, je compris que je ne m'en tiendrais pas là. J'étais encore en contact avec la jeune cancéreuse. Elle m'appelait de temps en temps pour me donner de ses nouvelles. C'est la seule à qui j'aie jamais donné mon numéro de téléphone.

Je me souvenais de chaque visage rencontré jusque-là, et j'avais découvert un besoin si énorme que je ne pouvais plus fermer les yeux. J'en avais trop vu pour faire comme s'il ne se passait rien, à deux pas de chez moi, dans ma propre ville.

J'aurais peut-être pu m'y prendre autrement, agir dans le cadre d'une association existante, par exemple. Je connaissais un centre d'hébergement auquel j'envoyais des dons pour Noël. Je savais qu'il existait aussi des endroits où l'on servait des repas aux sans-abri et qui étaient extrêmement bien organisés et efficaces. J'en connaissais au moins deux. J'aurais pu servir des repas, laver des plateaux, faire du bénévolat dans un centre d'hébergement ou œuvrer au sein d'une association caritative.

Cependant, je ne sais pas pourquoi, mais l'idée de m'engager dans une organisation déjà établie ne m'attirait pas. Je voulais continuer ce que nous avions commencé. Et même si cela pouvait se révéler difficile, décourageant, voire dangereux, j'aimais mes sorties nocturnes, aller à la rencontre des gens là où ils étaient et m'occuper d'eux sans intermédiaire, sans me reposer sur d'autres pour distribuer ce que nous avions.

J'avais la nette impression que ceux dont les besoins étaient les plus criants, ou qui étaient les moins aptes à se débrouiller normalement, étaient incapables de trouver le chemin des soupes populaires, des églises ou des centres d'hébergement. C'était à moi d'aller jusqu'à eux. C'est ce que je voulais faire. Par conséquent, il me fallait réfléchir à la manière dont je devais agir pour être le plus efficace possible. Après en avoir discuté avec Jane, nous avons décidé de commander des anoraks en trois tailles pour les hommes et en deux pour les femmes, en les différenciant bien. Nous nous étions rendu compte en effet que le L était trop petit pour certains et le M souvent trop grand pour les femmes. Les hommes étaient environ dix fois plus nombreux, mais nous pensions qu'il y avait assez de femmes pour justifier l'achat d'anoraks en deux tailles pour elles. De la même manière, il nous parut indispensable de commander deux tailles de chaussettes, de continuer à donner des gants et d'ajouter des bonnets en laine. Notre liste s'allongeait. Nous avons également pris la décision de passer à la vitesse supérieure et de distribuer une centaine de lots lors de notre maraude suivante.

Pour que ces sorties puissent se faire régulièrement, il était impératif de mettre une équipe sur pied. A cinq, nous avions eu du mal. Il fallait constamment monter et descendre de la camionnette, et ne pas oublier de nous protéger. J'ai donc fait appel à deux policiers que je connaissais bien et je leur ai demandé s'ils accepteraient de venir avec nous en dehors de leurs heures de service. Ma seule condition était qu'ils n'en parlent à personne. Cela leur convenait parfaitement, car ils n'étaient pas certains que leurs supérieurs hiérarchiques apprécieraient d'apprendre qu'ils ravitaillaient des SDF. Si je tenais particulièrement à l'anonymat, ce n'était pas seulement d'un point de vue éthique, mais parce que je pensais que si les gens étaient au courant, cela ne pourrait que nous gêner et, pire, braquer les projecteurs sur moi, ce que je ne voulais absolument pas. Je voulais agir sans être complimentée pour cela. Il n'y avait aucune raison que les gens dans la rue apprennent qui j'étais. Cela n'aurait rien changé. J'avais l'intime conviction qu'en restant anonyme je serais plus en sécurité, que cela nous donnerait une plus grande liberté. De plus, l'idée que les médias puissent nous suivre alors que nous étions en maraude me révoltait profondément. Je ne voulais pas tirer le moindre profit de mon action. C'est ainsi que nous avons poursuivi notre activité dans la plus complète discrétion, à l'insu de tous, durant onze ans.

Randy et Bob, les deux policiers, nous avaient aussitôt rejoints. Jane et John étaient tout aussi motivés que moi, et Tony et Younes avaient tenu eux aussi à rester. Je n'avais pas la moindre idée de la fréquence que nous choisirions pour remplir notre mission, mais je savais que je voulais retourner dans la rue de manière régulière. Finalement, il fut convenu de sortir une fois par mois. Il fallait du temps pour constituer un stock et passer des commandes. En outre, cela coûtait cher, mais cela ne me gênait pas. J'avais de l'argent et j'étais heureuse de le dépenser ainsi. Je disposais de fonds suffisants pour agir pendant un certain temps. Je ne savais pas combien ce « certain temps » durerait. Ce fut une expérience enrichissante pour nous tous. Et à chaque fois différente.

La météo affectait l'humeur des gens que nous rencontrions, mais de toute façon chaque sortie était unique. Parfois l'ambiance était grave, presque triste, à d'autres moments nous sentions une étrange tension peser sur nous tous, et quelquefois tout nous paraissait léger et facile. Il nous arrivait de passer des nuits entières sans le moindre problème, alors que certaines autres nuits, nous nous sentions inquiets, comme sous le coup d'une menace diffuse mais palpable. Cela se produisait sans que nous puissions le prédire, mais c'était tangible. L'atmosphère de la rue semblait avoir ses propres règles.

Nous avions tous conscience de cet aspect imprévisible de la situation, et c'est pourquoi il était d'autant plus important que nous soyons soudés et que nous formions une équipe unie. Très vite, deux autres de mes employés nous rejoignirent. Paul et Cody s'étaient tous les deux occupés de Nick et avaient continué à travailler pour moi après sa mort, le premier à la sécurité, et le second au secrétariat pour m'aider à faire fonctionner la fondation que nous avions créée en mémoire de Nick. C'était aussi en souvenir de Nick qu'ils tenaient à faire partie de l'équipe. Je ne leur avais pourtant jamais parlé de la raison pour laquelle je m'étais engagée dans cette action, mais ils sentaient, avec raison, que cela avait beaucoup à voir avec lui. Notre équipe se composait donc de neuf personnes, et c'était une « équipe de terrain », dont le but était d'aider les SDF. D'autres équipes existaient, mais aucune ne faisait la même chose que nous. A ce propos, il faut savoir qu'il y a très peu de coordination et même de communication entre les diverses organisations et associations qui travaillent dans la rue pour les sans-abri. Il est même fréquent que les unes ignorent l'existence des autres. Chaque association accomplit de son mieux la tâche qu'elle s'est fixée, mais il serait largement souhaitable qu'il y ait une meilleure coordination entre elles, ce qui permettrait une plus grande efficacité.

Au départ, notre équipe se composait donc de Younes, Tony, Paul, Cody, Bob, Randy, Jane, John et moi, et cela paraissait amplement suffisant. Plus tard, deux autres policiers qui étaient également des amis, Jill et Joe, nous ont rejoints. Et beaucoup plus tard, lors de rares occasions, j'ai emmené des amis proches à qui je m'étais confiée. Ceux-ci ont été stupéfiés par ce qu'ils ont découvert. Avant de les faire monter dans la camionnette, je leur avais fait jurer le secret concernant l'action que je menais dans la rue.

Avec neuf personnes et un stock pour une centaine de personnes, nous nous sommes vite aperçus qu'une seule camionnette ne suffisait plus. J'avais encore dans le garage la fourgonnette de Nick, celle qu'il utilisait pour faire des tournées avec son groupe. Elle était couverte à l'intérieur comme à l'extérieur de graffitis et d'autocollants portant le nom des différents groupes avec lesquels il avait joué ou fait des tournées. C'était tout Nick. J'ai tout de suite eu envie de l'utiliser. C'était une façon supplémentaire de l'associer à ce que nous faisions dans la rue.

Personne de notre groupe n'a jamais été blessé ni agressé, et c'est une chance. J'en suis très reconnaissante à Dieu. Nous gardions toujours à l'esprit qu'il nous fallait rester très prudents et nous faisions particulièrement attention quand un membre de l'équipe se montrait trop détendu ou moins vigilant. Le travail était si prenant que parfois nous en oubliions le danger, trop concentrés sur ce que nous faisions. C'est pourquoi nous évitions d'emmener des novices. C'était trop risqué et cela pouvait se révéler dangereux pour eux comme pour nous. Un manque d'attention, un instant d'hésitation, une question de trop aurait pu mettre tout le monde en danger.

Parmi les quelques amis qui se joignaient à nous de temps à autre, il y en a un dont je voudrais parler. Il s'appelait Michael et était très croyant. Comme Jane et John, il s'était occupé durant de nombreuses années des malades du sida au sein d'une association. Plus tard, il devint missionnaire et partit au Moyen-Orient, au Liberia et au Brésil, auprès des plus démunis. Mais auparavant il fit un travail fantastique avec nous et devint rapidement un habitué de nos sorties. Nous avons assez vite compris que nous fonctionnions mieux et plus efficacement à douze ou treize. Les tâches étaient mieux réparties et nous étions plus en sécurité. Au-delà, nous étions trop nombreux. Il nous est toutefois arrivé d'emmener une ou deux personnes supplémentaires, lorsqu'elles étaient compétentes. Mais nous faisions attention à ne pas choisir le mauvais « invité ». Car, si notre action séduisait au départ, elle en décourageait vite plus d'un, rebuté par la dureté du travail, très physique, consistant à décharger les camionnettes, porter les lots, affronter le danger et le mauvais temps. Il était difficile de décrire ce que nous allions faire et ce qui nous attendait. Chaque sortie était différente et ne correspondait jamais à ce que nous avions imaginé. Certaines étaient plus pénibles que d'autres et les risques auxquels nous nous étions habitués et que nous considérions comme normaux faisaient peur à ceux qui n'avaient jamais pris part à ce genre d'expédition. Pour certains, c'était trop. D'autres trouvaient l'expérience extraordinaire, mais ne souhaitaient pas la réitérer. Nous comprenions leur réaction et leur étions reconnaissants de nous avoir apporté leur aide, même s'il ne s'agissait que d'une seule fois.

Quand nous avons commencé à travailler dans la rue, nous avions trois camionnettes, avec celle de Nick. Au bout d'un certain temps, nous nous sommes aperçus qu'il était préférable d'aller en recharger une lorsque nous étions à la moitié de notre travail. Deux membres du groupe retournaient donc à la maison. Cela nous laissait temporairement en effectif réduit, ce qui était un peu risqué pour ceux qui restaient sur le terrain, mais grâce à ce système, nous pouvions faire quatre chargements. Nous n'aurions pas pu utiliser des camions, cela aurait été trop encombrant. Quatre chargements, c'était tout ce que j'avais les moyens de faire. Mais il est évident que si nous avions eu des fonds supérieurs, nous aurions pu doubler nos dons sans problème. Le besoin était immense.

Après avoir constitué notre équipe de terrain, nous en avons organisé une pour trier les lots et les emballer. Cela demandait deux ou trois week-ends. Jane supervisait tout et se chargeait des commandes. Avec le temps, nous sommes devenus très efficaces.

Nous partions en « mission » peu après dix-huit heures. Nous nous étions rendu compte qu'il était plus logique d'opérer de nuit, parce que, dans la journée, les SDF bougent et déambulent avec leurs chariots. Il était plus facile de les trouver une fois qu'ils s'étaient installés pour la nuit, et plus sûr pour nous de sortir quand nous étions le moins visibles. Je priais toujours pour que nos expéditions se déroulent bien. Car malgré mon enthousiasme et mon engagement, j'ai toujours eu conscience, comme nous tous d'ailleurs, et cela dès le début, que notre entreprise comportait des risques. Nous n'avions pas de plan précis pour lutter contre le danger, mais deux pensées me donnaient l'illusion d'être en sécurité. La première, qui m'était venue à l'église, était qu'il ne pouvait rien nous arriver puisque nous avions été envoyés pour faire le travail du Seigneur. Quand j'ai dit cela à un prêtre un jour, il m'a aussitôt répondu que l'église ne canonisait pas les fous. C'est juste. Mais il m'a fallu un certain temps pour comprendre qu'avoir eu l'idée de cette action en priant dans une église ne garantissait pas pour autant notre protection. Nous avons parfois frôlé la catastrophe. Dans la rue, la nuit, il faut toujours ouvrir l'œil, rester vigilant et savoir partir très vite le cas échéant. Le risque est toujours présent.

L'autre élément qui me donnait un sentiment de sécurité était que nous avions deux policiers avec nous. J'ai réalisé plus tard que cela ne nous protégeait de rien. En effet, nous étions bien souvent éparpillés et parfois nous nous retrouvions seuls, entourés de groupes de SDF dans des quartiers dangereux, où les choses auraient très vite pu mal tourner. Cela dit, c'était tout de même rassurant d'avoir deux policiers avec nous. S'ils n'avaient pas été là, je n'aurais peut-être pas eu le courage de poursuivre si longtemps ces actions. J'en suis même persuadée. Leur rôle était important, car c'était grâce à eux que nous nous sentions plus en sécurité. Jamais ils n'ont eu à mettre en pratique leurs compétences professionnelles, mais leur prudence, leur instinct et leur expérience nous ont tirés d'affaire plus d'une fois et sans doute évité des problèmes plus sérieux.

Souvent, en partant, je me remémorais un film que j'avais vu enfant, au sujet des toreros et des prières qu'ils faisaient avant d'entrer dans l'arène. Etrangement, j'avais un peu l'impression d'être dans la même situation, ne sachant pas ce que nous allions trouver, mais priant pour que tout le monde revienne sain et sauf. Chaque fois qu'une sortie était prévue, j'allais à la messe. C'était devenu un rituel pour moi, comme de brûler des cierges pour tous les membres de l'équipe. J'avais beau être à l'aise sur le terrain, je n'oubliais jamais les dangers potentiels que nous pouvions rencontrer, ni que nous étions là par la grâce de Dieu et que nous espérions accomplir sa volonté du mieux que nous le pouvions.

Comme nous n'avions jamais le temps de dîner avant de partir en maraude, quelqu'un avait eu l'idée d'apporter, un jour, une boîte pleine de beignets. En plus de nous nourrir durant la soirée, ils sont devenus au fil des années la source de nombreuses plaisanteries. Par exemple, chaque fois que je tendais la main vers la boîte, les membres de l'équipe lançaient un coup de sifflet, ce qui déclenchait aussitôt un fou rire général, digne d'une classe de primaire. Par la suite, pour donner un parfum plus « classe » à nos virées, Bob a apporté des croissants aux amandes. Ces deux viennoiseries accompagnèrent, dès lors, chacune de nos sorties. Malheureusement, les deux sacs étaient toujours à côté de moi et j'en mangeais beaucoup trop, mais j'en avais besoin et les autres aussi. On n'avalait que ça avec de temps en temps du pop-corn apporté par Jill. Ces soirées exigeaient beaucoup d'énergie. En général, tout le monde était trop excité pour faire un vrai repas. Quand on avait soif, on buvait de l'eau ou du jus de fruits. On ne s'est jamais arrêtés pour prendre un café, ni pour se réchauffer. Il n'était pas question de perdre du temps. On avait mieux à faire.

A chaque fois, on partait d'abord vers le sud, les trois camionnettes à la queue leu leu, en direction d'un petit parc où les sans-abri campent sur l'herbe, même par grand froid. Ils ont beaucoup d'espace mais, en revanche, rien pour s'abriter, hormis le porche d'une église de l'autre côté de la rue. Beaucoup y trouvent refuge et cela est devenu notre premier arrêt. Nous étions certains de faire des heureux. Nous leur offrions ce dont ils avaient besoin. Jane avait tout organisé de telle sorte que chaque taille se trouvait dans un carton différent et chaque produit était accessible facilement. Une des camionnettes ne contenait que les sacs de couchage. Nous pouvions donc diriger rapidement les gens vers le véhicule approprié à leurs besoins. Comme nous avions trois tailles d'anoraks pour les hommes et deux pour les femmes, ma première question quand je les abordais était :

— Excusez-moi, vous êtes L ou XL ?

Ils me regardaient comme si j'étais folle, et l'équipe se moquait de moi. Au bout de quelque temps, j'ai pu juger d'un coup d'œil la taille qu'il fallait. On s'amusait aussi beaucoup de notre « collection hiver » par opposition à notre « collection printemps », ainsi que de savoir qui viendrait faire les retouches. Ces plaisanteries nous permettaient de rester détendus une partie de la soirée.

Un soir, la présence des deux policiers nous avait donné le courage de nous aventurer dans les quartiers dangereux. Nous affichions une assurance que nous étions loin de ressentir, mais nous voulions aller là où on avait le plus besoin de nous, et les policiers nous rendaient téméraires. Ils savaient jusqu'où aller et ce qu'il fallait éviter. Nous nous étions fixé certaines règles de sécurité et avions établi les limites des zones où nous allions intervenir. Il y avait tant de sans-abri que nous avions l'embarras du choix. Toutefois, nous voulions donner la priorité aux SDF de longue date, à ceux que personne n'allait plus chercher.

Nous avions décidé d'éviter le secteur proche du parc du Golden Gate qui abritait surtout de jeunes drogués, car nous savions qu'ils revendraient rapidement pour de la drogue ce que nous leur aurions donné. De plus, certaines parties du parc étaient dangereuses et nous aurions probablement été attaqués. Pour la même raison, nous avions exclu un autre secteur où la violence était extrême et les fusillades très fréquentes. Nous avions aussi éliminé deux autres quartiers pour les mêmes motifs.

Il nous restait cependant de quoi faire, essentiellement au sud de Market Street, où vivaient de nombreux sans-abri. Nous nous y sommes fréquemment rendus, bien que cela fût relativement dangereux. Avec le recul, j'ai conscience que nous nous sommes parfois hasardés dans des zones que nous aurions dû éviter, des endroits où nous avions pourtant décidé de ne pas aller. Nous nous efforcions alors, grâce aux précieux conseils de Bob et Randy, de ne pas nous attarder et de repartir rapidement afin de ne pas donner aux gens le temps de réfléchir ou de nous attaquer si nous tombions au milieu d'une situation tendue. Dans des endroits plus calmes, nous pouvions rester plus longtemps, mais ils nous ont toujours incités à faire vite et à ne pas traîner. Nous avons toujours suivi leurs conseils et cela nous a évité de gros problèmes, surtout quand nous avons commis des erreurs et nous sommes retrouvés là où nous n'aurions pas dû être. La rapidité nous a servis à chaque fois. S'attarder aurait été inutile. Dès que la distribution était terminée, nous repartions. Nous étions là dans un but précis, pas pour musarder.

Nous nous étions aussi entendus sur la conduite à adopter au cas où on aurait tenté de voler la camionnette. La plupart des gens qui vivent dans la rue possèdent une arme. Certains ont un revolver, d'autres, et c'est le plus fréquent, un couteau. Le risque d'être poignardé était donc bien réel. Plus d'une fois, je me suis demandé ce que je faisais là. Je suis seule à élever mes neuf enfants. Risquer de me faire tuer dans la rue ne semblait ni juste ni intelligent, et pourtant j'avais un besoin irrésistible de continuer ce que j'avais commencé, et les autres aussi. Je me sentais responsable de leur sort. J'avais très peur qu'ils ne soient blessés et je m'inquiétais énormément pour leur sécurité. C'est pourquoi nous étions tous très vigilants et nous efforcions de veiller le plus possible les uns sur les autres. Malgré tout, il nous arrivait de nous séparer et de nous retrouver isolés, face à des sans-abri hostiles. Nous avons eu à la fois de bons réflexes et de la chance, et j'en suis profondément reconnaissante au ciel.

Il avait été convenu que, si une camionnette ou son contenu était attaqué, nous n'opposerions aucune résistance. Il aurait été absurde de mourir pour une camionnette pleine de sacs de couchage. Si cela s'était produit, nous aurions donné les clés et abandonné le véhicule sans la moindre résistance. Par chance, cela n'est jamais arrivé, mais nous avions fixé les règles et savions quoi faire au cas où les choses auraient mal tourné.

Au fil des années, nous avons essayé d'autres mesures de sécurité, mais aucune n'a vraiment fonctionné. Par exemple, nous avons décidé de nous équiper de talkies-walkies, puisque nous étions souvent séparés et éloignés des autres quand nous étions occupés. Quelques-uns restaient près des camionnettes à distribuer des lots, mais la plupart s'éloignaient pour trouver ceux qui se terraient dans les entrées d'immeubles, les ruelles obscures ou sous les rampes des voies express. Pouvoir communiquer en cas de danger ou d'attaque, ou simplement pour indiquer le nombre de sans-abri, nous aurait beaucoup aidés et aurait amélioré notre efficacité tout en renforçant notre sécurité. Mais la première fois que les SDF nous ont vus avec nos talkies-walkies, ils ont pris la fuite, sans doute persuadés d'avoir affaire à des policiers. Je ne crois pas qu'on ait utilisé les talkies-walkies plus d'une heure, et encore. C'était une mauvaise idée et nous l'avons vite oubliée. On les a rangés dans la fourgonnette et on ne s'en est plus jamais resservis.

Finalement, la seule mesure de sécurité que nous ayons conservée fut de porter un sifflet autour du cou pour donner l'alerte en cas d'urgence, ce qui était sensé. Nous n'avons jamais eu à les utiliser. En revanche, l'équipe s'en servait dès que je tendais la main vers la boîte de beignets. Mais cela ne me dissuadait pas pour autant !

Lors de leur première sortie avec nous, les deux policiers nous avaient suggéré d'aborder les gens par un *Yo !* prononcé d'une voix forte. Je ne sais pas s'il s'agissait d'une habitude de la police ou des SDF, mais nous l'avons conservée. L'idée était bien sûr de ne pas leur faire peur. Les SDF sont méfiants, parfois apeurés. Ils sont en danger permanent et certains souffrent de troubles mentaux. Il est donc préférable de ne pas s'approcher d'eux en catimini. S'ils se sentent agressés, leur réaction peut être violente. Les avertir de notre venue leur permet de jauger la situation, de se rassurer, de savoir pourquoi nous sommes là ou de nous dire de garder nos distances si, pour une raison ou pour une autre, ils ne veulent pas de nous. Ils en ont le droit. C'est leur espace et non le nôtre. Le salut de Bob et Randy remplissait parfaitement cette fonction. C'était nouveau pour moi, mais malheureusement je n'ai pas une voix forte. Même quand j'ai l'impression de crier, les gens me demandent parfois de répéter. Si je parle normalement, personne ne m'entend. Je suis affreusement timide et je parle tout bas. Mon premier salut fut donc lamentable, on aurait dit le balbutiement d'un enfant de six ans. Il me fallut un certain temps pour prendre de l'assurance et parvenir à quelque chose d'impressionnant, mais je suis fière de dire que je suis désormais capable de pousser un *Yo !* à vous faire tomber par terre !

La première fois que nous sommes sortis avec l'équipe au complet, un homme a remonté la rue en courant à toutes jambes pour nous rejoindre au moment où nous nous apprêtions à repartir après une halte. Je l'ai vu arriver de loin. Il semblait désespérément vouloir ce que nous avions à donner. Dans la nuit il a crié « *Yo ! Angel !* » et nous l'avons attendu. J'ai été frappée par ses paroles. Il nous a chaleureusement remerciés pour ce que nous faisions et nous a dit que nous devions être des anges venus du ciel pour aider les gens. Nous lui avons remis ce dont il avait besoin et il est reparti, en nous laissant un cadeau : le nom qui deviendrait celui de notre groupe. En effet, c'est ainsi que nous avons appelé la fondation que j'ai créée pour gérer nos finances et utiliser au mieux l'argent que nous dépensions pour aider les sans-abri. Ce soir-là, nous sommes donc devenus Yo ! Angel ! et les anges sont devenus notre emblème. Peu de temps après, Jane s'est débrouillée pour nous dénicher une petite pancarte portant l'inscription « Sous la protection des anges » que nous avons suspendue au rétroviseur, ainsi que diverses petites mascottes en forme d'anges. L'idée d'avoir des anges pour symbole nous plaisait beaucoup, même si avec les histoires drôles parfois de très mauvais goût que nous racontions entre les arrêts, nous étions loin d'en être. Mais au moins nous permettaient-elles de garder le moral.

Un autre événement étonnant se produisit ce soir-là. Nous roulions au pas sous une voie rapide, à la recherche de gens qui couchaient sous les piliers, car nous savions qu'ils étaient nombreux à s'installer là. Soudain, nous vîmes sur un des piliers un grand dessin à la craie qui nous fit nous arrêter net. C'était un magnifique portrait d'adolescent dans des couleurs pastel et il portait des ailes. C'était notre ange. Pour nous qui venions d'être qualifiés d'anges, c'était un signe. Surtout, et c'est ce qui m'a bouleversée, l'adolescent du dessin ressemblait de manière frappante à Nick, au point que j'en ai eu les larmes aux yeux. Il était notre ange. John et Jane sont revenus quelques jours plus tard le prendre en photo et l'ont fait imprimer sur un tee-shirt pour m'en faire cadeau. Je l'ai précieusement conservé. C'est un souvenir inoubliable et émouvant du soir où Yo ! Angel ! est né.

Notre distribution s'était déroulée sans anicroche, même si ce n'était pas une mince affaire d'aller chercher les articles dans la camionnette et de s'assurer que tout le monde avait un lot complet, duvet, anorak, gants, bonnet, chaussettes. Nous avions ajouté le bonnet en laine pour le temps froid et moi-même j'en portais un. Parfois, les gens demandaient deux paires de chaussettes ou un anorak supplémentaire pour un mari ou une amie, et nous leur donnions ce qu'ils demandaient. Mais l'apparence du stock à l'arrière de la camionnette rappelait le capharnaüm qui règne dans les magasins les jours de soldes. Nous allions très vite, et Jane faisait le maximum pour éviter que tout se transforme en un tas informe qu'elle devait ensuite ranger. Elle ne s'énervait jamais du désordre que nous semions. Quant aux SDF, ils attendaient patiemment que nous revenions avec tout ce dont ils avaient besoin. Nous étions novices et avions beaucoup à apprendre sur ce qui était nécessaire et sur la façon de bien fonctionner.

Notre naïveté et notre amateurisme nous conduisirent ce soir-là à nous engager dans une impasse. Nous avions remarqué deux ou trois personnes endormies devant des portes. L'endroit ne nous avait pas paru poser de difficultés. Le problème apparut une fois que nous fûmes dans l'impasse, sans possibilité de sortir hormis en marche arrière, avec les autres camionnettes derrière nous qui nous avaient suivis. Une quarantaine de types que nous n'avions pas vus en nous engageant surgirent de porches et de recoins sombres. Tous avaient l'air mauvais et semblaient drogués. Nous étions plus près que nous le pensions des quartiers vraiment très dangereux, où nous ne voulions pas aller. La ruelle nous avait semblé sans danger, mais elle ne l'était pas, et nous fûmes très vite encerclés et débordés par ces hommes à l'air menaçant, qui se poussaient et nous bousculaient, craignant de ne pas être servis. Ils étaient trois ou quatre fois plus nombreux que nous et se pressaient autour de nous en criant. C'est alors que, dans l'affolement, l'un de nous verrouilla accidentellement la camionnette, si bien que nous nous retrouvâmes coincés dans la rue avec eux, sans pouvoir remonter. Je jetai un coup d'œil aux alentours. La situation se présentait mal. Je commençais à penser que nous allions y rester.

Il y avait bien les autres camionnettes, mais nous y précipiter à cinq dans la panique était précisément ce que nous devions éviter. Par chance, Randy prit la situation en main. Il poussa un *Yo !* tonitruant et ordonna aux types de se mettre en rang en leur assurant que nous avions largement de quoi fournir tout le monde. A ma stupéfaction, ils grommelèrent mais obéirent malgré leur état vaseux. Randy avait l'air calme et les tenait à l'œil. Nous fîmes notre distribution à la vitesse de l'éclair, pendant que Tony dénichait un double des clés et rouvrait la camionnette. Une fois que tous furent servis, le calme revint et nous pûmes remonter dans la camionnette. Nous ne demandâmes pas notre reste et partîmes aussitôt. Jane et moi nous sommes littéralement jetées dans la nôtre et nous sommes affalées au milieu d'une pile de duvets, prises d'un rire nerveux. Tout s'était bien terminé, mais l'expérience nous avait marqués. Nous sommes convenus de ne plus entrer dans les impasses et d'examiner les alentours avec plus d'attention à l'avenir avant de descendre. Cela ne nous a pas empêchés de nous retrouver par la suite dans d'autres situations délicates, mais avec l'expérience nous avons appris à reconnaître les signes annonciateurs de danger. Notre première soirée à trois camionnettes s'était plutôt bien passée, malgré quelques problèmes ici et là, dont l'impasse. Jane et moi rions encore de la manière dont nous nous sommes retrouvées au milieu des duvets ce soir-là, mais le fait est que nous l'avions échappé belle.

Cette nuit-là, nous avons distribué tout ce que nous avions emporté. Il y avait eu des moments émouvants, voire poignants, comme nous devions en vivre régulièrement à chacune de nos sorties, avec le dernier arrêt qui ne manquait jamais de nous bouleverser. Nous étions partis dans la bonne humeur, mangeant des beignets et échangeant des plaisanteries. Le chemin du retour – et il en serait toujours ainsi – se déroula dans le silence. Nous pensions à ceux que nous avions rencontrés, aux moments que nous avions partagés, déjà gravés au plus profond de notre être. Chacun comprit alors, comme moi quelques semaines plus tôt, que cette expérience avait changé notre vie. Comment aurait-il pu en être autrement ? Il aurait fallu avoir une pierre à la place du cœur pour rester insensible devant les scènes dont nous avions été témoins. Chacun d'entre nous, à sa manière, était marqué à jamais.

4

Une aide efficace ?

Une des choses qui m'ont choquée quand j'ai commencé à aider les sans-abri, a été de découvrir à quel point la ville leur était – et leur est encore – hostile. Je soupçonne qu'il en va de même partout. On ne voit pas de sans-abri à Beverly Hills. Où les met-on ? Que fait-on pour les éloigner ou pour les cacher ? New York grouille de SDF, pourtant les autorités affirment avoir accompli de grands progrès dans ce domaine. Vraiment ? Par quels moyens ? Selon des sources bien informées, il semblerait que la meilleure méthode pour régler la question des sans-abri à New York soit de les mettre dans des cars à destination du New Jersey. San Francisco a mis en place un système similaire consistant à leur offrir des places de car pour aller n'importe où. Débarrassons-nous d'eux ! Voilà une version moderne du bonneteau. Il suffit de déplacer le problème et de le cacher ailleurs.

Sans compter qu'en raison des difficultés économiques actuelles, les programmes d'aide aux plus démunis, notamment ceux destinés aux malades mentaux, ont vu leurs subventions se réduire de manière dramatique. Un nombre accru de gens se retrouve donc à la rue.

Partout les SDF constituent pour les autorités municipales une source d'embarras. Elles veulent les chasser. Les commerçants se plaignent qu'ils gênent les affaires. Et partout il existe des structures visant à les aider à sortir de la rue, tout au moins c'est ce qu'on affirme. En réalité, seuls les sans-abri les plus débrouillards réussissent à y accéder. Les files d'attente sont interminables, les formulaires abscons, les critères impossibles à remplir. Les gens doivent patienter des mois, voire une année, pour obtenir des soins médicaux, des cures de désintoxication, un logement. Ceux qui sont dans la rue se découragent, perdent l'espoir tandis que leur état empire. Parfois ils meurent. Les budgets sont soumis à des coupes sombres, et même supprimés, si bien que certains programmes disparaissent totalement alors que ceux à qui ils sont destinés attendent en vain. Le problème est non seulement national, mais international. Si aucune ville n'est épargnée, certaines semblent mieux gérer le problème que d'autres. Aux Etats-Unis, Philadelphie est considérée comme la ville qui dispose du meilleur programme de soutien aux sans-abri. Parfois, en revanche, je me demande si celui de San Francisco n'est pas le pire de tous, ou tout au moins un de ceux, fort nombreux au demeurant, qui n'obtiennent pas de résultats tangibles. Les politiciens font des promesses qu'ils ne peuvent pas tenir et les subventions disparaissent. Paris est plus peuplé que San Francisco, par exemple, mais San Francisco a quatre fois plus de sans-abri, parce que la France offre de meilleurs programmes d'aide aux SDF. J'aimerais avoir des solutions claires et faciles à proposer, mais je n'en ai pas. A vrai dire, je doute que quiconque ait de réelles solutions pour l'instant. Nous sommes tous impuissants face au nombre croissant de sans-abri.

Car il ne s'agit pas seulement de fournir un logement ou de trouver aux gens un endroit où vivre. Il s'agit avant tout de les soigner. Aux Etats-Unis, où les malades mentaux ne bénéficient pas de soins suffisants, un grand nombre d'entre eux échouent dans la rue, sans défense, dans une indifférence quasi générale. C'est un sujet sensible auquel les politiciens font semblant de s'intéresser et que les citoyens de toutes les villes et de tous les pays choisissent d'ignorer.

Une des méthodes employées pour traiter la question des SDF consiste à faire ce que l'on appelle de l'« écrémage », c'est-à-dire à n'aider que les plus capables. Mais les autres, les moins aptes à se débrouiller, les plus faibles, les plus malades sont écartés du système et restent là où ils sont, là où personne ne vient à leur secours. Ce sont ces gens-là que je cherchais à aider quand je sortais la nuit. Ceux qui ne peuvent pas accéder aux soupes populaires, ceux qui ont souvent, et à juste titre, peur des centres d'accueil, ou qui sont trop perturbés pour qu'on les y accepte, et qui n'ont aucune idée de la façon de remplir les papiers nécessaires pour avoir droit à une aide. Ce sont les véritables oubliés du système, ceux qui ont les besoins les plus lourds. Si nous ne nous occupons pas d'eux, qui le fera ? Quasiment personne ne se soucie d'eux. Je ne sais pas ce qu'il en est pour vous, mais aller au guichet d'une administration me donne des sueurs froides, faire la queue dans un grand magasin me rend hystérique et face à un formulaire de six pages quel qu'il soit, mon cerveau se paralyse. Comment un individu qui est dans une situation épouvantable, souvent perdu, peut-il s'en sortir dans un système où le seul fait de tenter de joindre un service est un cauchemar ? De nos jours, appeler un médecin, une compagnie d'assurances, la poste, les administrations, une compagnie aérienne ou même les renseignements relève du parcours du combattant. Comment des gens dans un état précaire peuvent-ils surmonter ces obstacles ? Ils en sont incapables et abandonnent. Pire encore, les agences et les services qui sont censés les aider sont débordés, manquent de personnel et abandonnent eux aussi.

Il y a beaucoup trop peu de structures réellement accessibles aux sans-abri. A San Francisco, où tous les SDF s'accordent à dire que les centres sont extrêmement dangereux, il faut arriver à 18 heures pour y entrer et l'un des critères d'admission stipule que l'on ne doit pas avoir « un comportement bizarre », alors que par définition, vivre dans la rue est une forme de comportement bizarre. Les SDF ont rarement l'air normaux. Ils sont curieusement vêtus et souvent sales. Certains ne s'expriment pas de manière cohérente, surtout s'ils ont des troubles mentaux et qu'ils n'ont pas les moyens d'acheter leurs médicaments. Mais nombre d'entre nous pourraient également être considérés comme ayant un comportement bizarre. J'ai des amis lunatiques ou qui piquent facilement des colères. Je suis sûre qu'on ne les laisserait pas entrer dans un centre. Et beaucoup, moi y compris, ne sont pas d'une ponctualité irréprochable. Tous ceux qui veulent passer la nuit dans un centre ne peuvent pas nécessairement y arriver avant 18 heures précises, voire plus tôt s'il faut faire la queue. Avec des règles comme celles-là, comment voulez-vous que les sans-abri ne couchent pas dans la rue ? Avons-nous vraiment besoin de leur compliquer la vie encore plus qu'elle ne l'est déjà ?

Je constate que l'attitude la plus fréquente vis-à-vis des sans-abri est le harcèlement. Quand j'ai commencé à travailler dans la rue, j'entendais constamment parler du DPW. Je n'avais aucune idée de ce dont il s'agissait. Du KGB peut-être, avec de nouvelles initiales ? Ces lettres suscitaient la crainte parmi les sans-abri. J'ai rapidement appris qu'il s'agissait du Department of Public Works, le service d'aide sociale de la ville. A leurs yeux, si les SDF « insistent » pour vivre dans la rue, il faut les aider à se laver, à s'arranger, leur apprendre deux ou trois choses. Certes, les quelques possessions des SDF sont empilées les unes sur les autres et font désordre. Mais soyons honnêtes, bien souvent, mes enfants comme les hommes avec qui j'ai vécu ne rangent pas mieux leurs affaires. Comment peut-on être ordonné quand on vit dans un carton et que tout ce qu'on possède tient dans un chariot de supermarché déglingué ? Le DPW résout le problème à l'aide d'un camion-poubelle. Si le sans-abri est momentanément absent, parti aux toilettes ou en quête de quelque chose à manger, en train de chercher du travail ou même simplement endormi, le camion du DPW ramasse ses maigres possessions et fait place nette. Brusquement, le sans-abri n'a plus de quoi dormir ni de vêtements. Il ne lui reste que ce qu'il a sur le dos. C'est à pleurer. Le DPW est là pour détruire les « campements », enlever les « cabanes », débarrasser les rues de tous les « débris » peu esthétiques qui sont pourtant les seuls biens d'un sans-abri. Car, en les privant de tout ce qui sert à leur survie, le DPW s'imagine qu'ils quitteront la rue. Mais pour aller où ? Certains sont trop malades, physiquement ou mentalement, pour faire autre chose que ce qu'ils font, et au lieu de les aider, le DPW les dépouille finalement de ce qu'ils possèdent et les laisse encore plus impuissants, encore plus mal équipés pour survivre qu'ils ne l'étaient auparavant. Je regrette de le dire, mais à mes yeux, c'est du harcèlement. Nous devons faire mieux et autre chose que ramasser leurs affaires dans un camion-poubelle et les abandonner en pleurs dans la rue. Je n'ai rien vu de plus cruel que cette stratégie, qui laisse les gens plus démunis encore, plus détruits, et qui leur enseigne le désespoir comme mode de vie. Comment peut-on manquer de cœur à ce point ?

Il y a quelques années, on a construit un nouveau stade de base-ball à San Francisco, tout près d'un terrain vague où les SDF avaient établi un campement. Ils étaient environ deux cents à vivre sous des tentes, des cartons, des sacs de couchage, de petits abris de fortune. Ce genre de camp a l'avantage de protéger les membres les plus vulnérables du groupe, dans la mesure où on court souvent moins de danger à plusieurs, même si ce n'est pas toujours vrai. J'ai vu ce camp se créer et je l'ai vu grandir. C'était une véritable petite ville en soi, avec sa propre organisation. Nous y passions régulièrement. Et puis un jour, nous sommes arrivés dans nos camionnettes et avons eu l'impression qu'un ouragan avait tout dévasté.

Il ne restait rien, hormis de petits débris qui avaient été écrasés sous les roues d'énormes camions. Le DPW était passé, enlevant tout ce que ces gens possédaient et saccageant le reste. Des dizaines de personnes sanglotaient sans bruit, anéanties, sous le choc. Elles n'avaient plus rien. Le spectacle que nous avions devant nous ressemblait à celui d'un village dévasté après un tremblement de terre. Ces gens n'avaient pas eu le temps de sauver quoi que ce soit. Le camp avait été rasé, éliminé, détruit, et avec lui tout ce qu'ils avaient au monde.

Comme les autorités peuvent-elles affirmer qu'elles gèrent « le problème des sans-abri » quand elles emploient des méthodes aussi inhumaines, aussi consternantes ? Je ne peux pas vous dire le nombre de fois où nous nous sommes arrêtés devant des gens désespérés, en pleurs, parce que le DPW venait de leur prendre tout ce qu'ils possédaient. A chaque fois, j'avais l'estomac retourné. Je voyais leurs visages, leurs yeux pleins de détresse, les larmes qui mouillaient leurs joues. Si c'est ce que nous avons trouvé de mieux comme solution, c'est un constat affligeant pour nous et pour nos villes. Et malheureusement, je vois autant de SDF dans la rue que lorsque nous avons entamé notre action, peut-être même davantage à présent que la précarité s'est installée. En fait, je suis certaine que le nombre de sans-abri s'accroît d'année en année. Le chiffre était déjà en augmentation avant la crise économique et la situation n'a fait qu'empirer.

A San Francisco, pour dénombrer les sans-abri on utilise un système aussi absurde qu'inadéquat. Une fois par an, des recenseurs se rendent dans une zone définie comme étant celle où vivent les SDF afin de les compter. Comme l'a dit le directeur d'une des agences qui offrent des soins gratuits aux sans-abri souffrant de troubles mentaux, ceux qui s'occupent du recensement des oiseaux y consacrent plus de temps, plus de soin et plus d'argent.

Les recenseurs passent là la nuit et ne comptent que ceux qu'ils voient. Les SDF qui se trouvent dans les centres, qui sont partis aux toilettes, boire un café, manger à la soupe populaire, ou qui errent ailleurs ne figurent pas dans leurs statistiques. En conséquence, le chiffre qu'ils obtiennent, celui qui sert de base à l'estimation officielle des sans-abri à San Francisco, n'a rien à voir avec la réalité. Il est actuellement d'environ sept mille. A un moment donné, il était tombé à un peu plus de cinq mille. Etait-ce parce que le recensement avait eu lieu par une nuit particulièrement froide et que la plupart des sans-abri n'étaient pas dans la rue ? Se cachaient-ils ? Avaient-ils reçu leur allocation d'invalidité et s'étaient-ils réfugiés à l'hôtel pour une nuit ? Ou y avait-il moins d'agents pour effectuer le comptage ?

Une évaluation plus fiable, celle de l'église, qui fournit l'aide la plus importante aux sans-abri et qui sert plus d'un million de repas par an, indique que le nombre réel de SDF à San Francisco avoisine les vingt mille. Et la police municipale, qui est plus en contact avec eux, confirme ce chiffre. Mon estimation, simplement basée sur ce que je sais et ce que je vois, est la même. On est loin des chiffres officiels de cinq à sept mille sans-abri, qui abusent les citoyens et les conduisent à penser que le problème est moins sérieux qu'il ne l'est en réalité. Loin de diminuer, leur nombre ne fait que progresser. Peut-être devrions-nous confier le recensement des sans-abri à la société qui s'occupe de recenser les oiseaux ? Elle est de toute évidence plus efficace et plus rigoureuse que les services municipaux.

Quoi que nous entreprenions pour faire diminuer le nombre de personnes qui vivent dans la rue, nous n'y arrivons pas. Si on jette de l'eau sur le feu et que le feu ne s'éteint pas, c'est qu'on a besoin de davantage d'eau. Si la population de SDF grossit partout, non seulement aux Etats-Unis mais aussi en Europe, la conclusion est la même. Nous avons besoin de structures, de moyens, d'accompagnement supplémentaires. Nous devons exiger qu'il y ait plus d'intervenants sociaux, plus de gens qui se soucient de la question, de citoyens qui soient prêts à regarder la réalité en face et à s'impliquer pour que les choses changent. En attendant, ignorer le problème ou détruire les camps n'est ni une réponse ni une solution. Pour obtenir des résultats, il faut une plus grande prise de conscience, une augmentation des fonds et un renforcement de l'aide.

Lorsque j'ai commencé à m'occuper des sans-abri, j'ai été frappée par la variété des gens qu'on rencontre parmi eux. Cette population est aussi diverse, j'imagine, que les raisons pour lesquelles ils sont dans cette situation. Je me rappelle, par exemple, avec émotion, une jeune femme rencontrée un soir d'été. Agée d'une vingtaine d'années, elle était bien coiffée et portait une robe en soie à fleurs et une rangée de fausses perles. C'est une des rares personnes que j'ai continué à voir régulièrement. Elle faisait partie de nos habitués et j'essayais de la trouver chaque fois que nous partions en maraude. J'ai vu avec tristesse son état se détériorer au fil du temps. La robe en soie et les perles n'ont pas duré longtemps. Elle vivait sous une tente au coin d'une rue. Onze ans plus tard, âgée sans doute d'à peine plus de trente ans, elle avait perdu toutes ses dents et on l'avait amputée d'une jambe. Le visage ravagé par les épreuves, elle se déplaçait dans un fauteuil roulant et échouait en prison de temps à autre. Pourtant, à chaque fois que je la voyais, elle était toujours gentille et souriante. Nous bavardions pendant quelques instants, durant lesquels elle me donnait de ses nouvelles. Nous avions les mêmes conversations que celles que j'ai avec n'importe laquelle de mes connaissances ; je pense que cela lui faisait du bien d'être traitée normalement. De mon côté, j'étais toujours contente de la voir, mais j'avais le cœur serré de la savoir dans cet état. Un jour, elle me confia qu'elle avait des enfants qu'elle n'avait pas vus depuis des années, ce qui est le cas de nombreuses femmes dans la rue. Il est clair que les systèmes sociaux n'avaient pas fonctionné pour elle. J'imagine qu'elle s'était droguée à un moment donné ou qu'elle avait eu des problèmes psychologiques, mais je n'en étais pas certaine et je ne lui posais pas de questions embarrassantes. Sa descente aux enfers et le chemin qui l'y avait conduite ne me regardaient pas. Tout ce que je pouvais faire, c'était m'arrêter et lui parler. Je m'inquiétais lorsque je ne la voyais pas et, surtout, je me demandais ce qu'il adviendrait d'elle. Qui l'aiderait ? Comment pouvait-elle échapper à la déchéance ? Pourquoi personne ne l'avait aidée à s'en sortir ? J'ignore où elle se trouve à présent, mais je pense souvent à elle.

Chaque maraude était unique. A chaque fois, nous rencontrions des gens différents. Je n'ai jamais su pourquoi. Parfois, nous n'avions affaire qu'à des Afro-Américains de quarante ou cinquante ans. D'autres fois, c'étaient des Blancs d'une trentaine d'années. Certains avaient l'air d'être dans la rue depuis peu de temps et de pouvoir se débrouiller. On avait l'impression qu'ils pourraient se réinsérer dans la société, même si, de toute évidence, quelque chose avait mal tourné dans leur vie. Les femmes étaient toujours minoritaires. Quand elles venaient d'arriver, elles semblaient en meilleure forme que les hommes, et moins négligées. Mais celles qui vivaient dans la rue depuis longtemps étaient totalement ravagées, comme si vivre ainsi leur était vite fatal. L'une d'elles, que j'ai souvent vue, est morte l'an dernier. J'étais persuadée qu'elle était âgée d'une soixantaine d'années. J'ai été bouleversée d'apprendre qu'elle avait été manne-quin et qu'elle avait trente-deux ou trente-trois ans quand elle est morte.

J'ignore ce qui mène les gens à la rue. La maladie constitue une des causes évidentes, mais pas la seule. Pour ceux qui parviennent tout juste à joindre les deux bouts, il suffit parfois d'un malheu-reux concours de circonstances pour tomber dans le gouffre. Certains ne font que passer dans la rue et peuvent facilement être aidés et sauvés. D'autres y vivent depuis si longtemps qu'on sait que, comme quelqu'un qui souffre d'une maladie incurable, ils ne pourront jamais redevenir ceux qu'ils ont été autrefois. Certains continuent à lutter, d'autres ont visiblement renoncé. On peut imaginer que quelques-uns retourneraient sans difficulté à la vie normale si on leur donnait un minimum de chances, alors que d'autres n'y ont jamais été à leur place et ne le seront jamais.

Bien que la majorité d'entre eux semblent souffrir de troubles psychiatriques, ils n'ont pas accès aux soins dont ils ont besoin. Incapables d'obtenir de l'aide par leurs propres moyens, souvent aban-donnés par leurs proches, ils restent au bord du chemin. Même si leur famille souhaite les aider, souvent le système juridique, très restrictif vis-à-vis des malades mentaux et de leur hospitalisation, l'en empêche. Et lorsqu'ils se retrouvent dans la rue, nous ne pouvons pas faire grand-chose pour les en sortir. Le nombre croissant de sans-abri indique clairement que les moyens mis en œuvre pour les aider ne sont pas à la hauteur. Aussi louables que soient nos intentions, aussi nombreux que soient les dispositifs, ceux qui sont le plus vulnérables, le plus en difficulté ne bénéficient d'aucune des prestations existantes ou de l'accompagnement nécessaire. Et sans aide ils ne pourront pas sortir de la rue.

Certains affirment que le problème des sans-abri résulte d'un manque d'hôpitaux psychiatriques. La question est plus complexe. Même si nous avions plus de structures d'accueil, nous n'avons aucun moyen d'y faire entrer ceux à qui elles sont destinées et de les convaincre de s'y faire soigner. Et les plus expérimentés des professionnels sont convaincus depuis longtemps que le système en vigueur, qui exige l'accord du patient pour une éventuelle hospitalisation (sauf s'il est prouvé qu'il représente un danger pour la société), ne fonctionne tout simplement pas. A l'heure actuelle, la décision d'être hospitalisé repose entre les mains du seul malade. C'est à lui ou à elle de décider, alors que nous savons bien que la plupart d'entre eux ne sont pas en mesure de le faire. Et les familles sont impuissantes pour les arracher à la rue ou les faire hospitaliser. J'ai eu beaucoup de chance de ne jamais avoir connu cette situation avec Nick. Il n'en a pas été de même pour plusieurs de mes amis qui ont perdu toute relation, pendant des années, avec leurs enfants (certains âgés d'une trentaine ou d'une quarantaine d'années) parce que celui-ci était devenu un sans-abri. On ne peut malheureusement rien faire pour éviter cela. Et finalement, bien souvent, au lieu d'être à l'hôpital, ces malades se retrouvent en prison. Il suffit pour cela qu'ils commettent un délit ou transgressent la loi.

Au risque d'exprimer un point de vue impopulaire, je crois que l'on devrait autoriser l'hospitalisation sans le consentement de l'intéressé lorsqu'elle est nécessaire pour le soigner et assurer sa sécurité. Les législateurs et les électeurs ne semblent guère avoir conscience de la vulnérabilité des malades mentaux ni des dangers auxquels ils sont exposés dans la rue. Certes, le dispositif actuel part d'une bonne intention et permet d'éviter les abus qui se produisaient autrefois, lorsque des personnes parfaitement saines d'esprit, victimes de la cupidité et de la cruauté de leurs proches, étaient placées en hôpital psychiatrique contre leur gré. Mais la prudence est telle désormais que nous ne pouvons plus faire hospitaliser ceux qui en ont le plus besoin, afin de les protéger et de les aider, si bien que, au lieu d'être soignés ou soutenus par ceux qui les aiment, ils se retrouvent dans la rue. Car il semble malheureusement certain qu'entre 80 % et 90 % des sans-abri aux Etats-Unis souffrent d'une maladie mentale.

Ici, à San Francisco, la loi autorise l'hospitalisation pour soixante-douze heures de toute personne qui a un comportement bizarre, afin de pouvoir juger si elle souffre de troubles psychiatriques. Les médecins ont donc trois jours pour décider si elle représente une menace, que ce soit vis-à-vis d'elle-même ou vis-à-vis d'autrui. Si ce n'est pas le cas, il est quasi impossible de prolonger ce délai. Or, il faut parfois plus de trois jours pour évaluer une pathologie psychiatrique et pour déterminer si la personne représente une menace pour elle-même ou pour autrui. Aussi vulnérables, aussi troublés soient-ils, nous ne pouvons malheureusement pas garder les sans-abri à l'hôpital pour les protéger. Tant qu'ils ne sont pas considérés comme « dangereux », ils sont libres de partir, de retourner dans un monde où ils sont des proies faciles, incapables d'affronter les rigueurs de la vie dans la rue et les périls qui les guettent. C'est pourquoi, parfois, la décision de les hospitaliser devrait être prise pour eux.

Dans l'état actuel de la législation, ceux d'entre nous qui voudraient les aider, et qui tentent de les soigner et de les protéger, sont réduits à l'impuissance. Nous ne pouvons que les laisser repartir en espérant qu'ils ne vont pas sombrer.

Etre sans-abri n'est pas seulement dû au fait d'avoir perdu son emploi ou sa maison. C'est bien souvent lié à des troubles mentaux qui n'apparaissent pas toujours de prime abord. Certains s'adaptent plus difficilement que d'autres aux règles de la société. Mais la plupart sont réduits à cet état par l'addiction à la drogue. On les voit pousser leur chariot en parlant tout seuls, dormir sous les porches, vivre dans des abris de carton, trempés jusqu'aux os et glacés jusqu'à la moelle, ne présentant bien souvent aucun danger pour vous, les autres, mais incapables de s'en sortir. Il s'agit à mes yeux d'un des plus grands problèmes de la société d'aujourd'hui, un problème urbain qui échappe à tout contrôle, et la législation existante n'y apporte aucune réponse.

Dans ce cas précis, la loi n'est faite que pour protéger quelques-uns au détriment du plus grand nombre. Il est douloureux de placer un proche en hôpital psychiatrique. Je le sais. Je l'ai fait. Mais il est beaucoup plus douloureux encore de le voir errer dans la rue et peut-être y mourir, alors qu'il y avait une autre solution. Je suis convaincue qu'il nous faut une meilleure législation, plus efficace pour nous aider à résoudre ce problème. Car la plupart de ceux qui semblent à première vue capables de se débrouiller ne le peuvent pas. En fait, je crois que ceux qui se retrouvent dans la rue à la suite de la perte de leur emploi et de trop de surendettement sont une infime minorité. La plupart d'entre eux sont là parce qu'ils n'ont pas leur place dans notre société et qu'ils souffrent d'un déséquilibre qui les en exclut. Et c'est ce handicap qui les empêche d'obtenir l'aide dont ils ont besoin et les laisse livrés à eux-mêmes dans la rue. C'est à nous d'aller à leur rencontre et de leur apporter notre soutien. Comme des gens qui se noient, ils ne peuvent pas se sauver tout seuls. Nous devons, nous qui profitons de la société, leur porter secours. Qu'allons-nous faire à présent ? Leur tourner le dos et les laisser se noyer ? Ou bien agir ? J'espère que tous nous déciderons de leur tendre la main, chacun à notre manière et en fonction de nos moyens, en attendant que nos législateurs s'attaquent au problème en nous offrant des lois mieux adaptées qui nous permettront de les aider.

La question des SDF n'est pas une cause particulièrement attirante. Elle ne suscite pas l'enthousiasme. Il ne s'agit pas de s'occuper d'enfants au sourire éclatant. Les sans-abri sont fatigués, abîmés, ils n'ont plus de dents, ont été amputés d'un bras ou d'une jambe par manque de soins. Ils sentent mauvais. Ils nous font peur, non seulement à cause de leur aspect ou de leur comportement, mais parce que, si nous les regardons de plus près, nous ne pouvons pas nous empêcher de redouter que leur sort ne soit un jour celui d'un être proche. Pourtant, autant que n'importe lequel de nos amis ou de nos parents, ils ont désespérément besoin de notre aide. Ils sont perdus, ils ne peuvent pas retrouver leur chemin tout seuls. Il est de notre devoir de les y aider.

5

Qui sont-ils ?

Bien qu'il m'arrive fréquemment d'oublier le nom ou le visage de quelqu'un rencontré lors d'un dîner, je n'ai pas oublié les visages vus dans la rue. Encore aujourd'hui, je me souviens d'eux. J'ai souvent croisé certains d'entre eux, alors qu'il y en a d'autres que je n'ai vus qu'une seule fois et qui ont disparu à jamais. Je me suis d'ailleurs toujours demandé ce qui leur était arrivé. Etaient-ils partis dans une autre ville ? Dans un centre ? Les membres de leur famille les avaient-ils retrouvés et les avaient-ils persuadés de rentrer à la maison ? Etaient-ils en prison ? Etaient-ils morts ? J'ai souvent entendu parler de gens morts dans la rue. Quoi qu'il en soit, je me souviendrai toujours de leurs visages, bien que je ne connaisse pas leur histoire.

La femme que j'ai vue le plus souvent est celle qui portait une robe en soie et une rangée de perles lorsque je l'ai rencontrée et qui s'est retrouvée dans un fauteuil roulant, complètement édentée et

87

amputée d'une jambe. Malgré sa déchéance, elle était restée gaie et reconnaissante envers la moindre marque de gentillesse, le moindre don. Comme souvent avec les femmes qui se retrouvent dans la rue, ses enfants étaient élevés par sa mère. Ceux qui n'ont pas cette chance sont généralement placés par les services sociaux.

Parmi ceux dont je me souviens le mieux, il y a un homme que j'ai rencontré lors d'une de mes premières maraudes. Il avait surgi d'une poubelle tel un génie de sa lampe. Ailleurs et à un autre moment, il m'aurait fait une peur bleue, et je dois avouer que ce soir-là il m'avait un peu effrayée. Ses cheveux longs étaient un enchevêtrement de dreadlocks ; il avait le visage maculé de saleté, les yeux fous, des vêtements crasseux. J'ai essayé de garder mon sang-froid et je lui ai expliqué que nous venions lui donner des affaires dont il avait peut-être besoin. Il a acquiescé, sans sortir du conteneur. Il m'a indiqué sa taille, et j'ai couru à la camionnette pour aller chercher un anorak et un duvet, ainsi qu'un bonnet, des chaussettes et des gants. Tout a aussitôt disparu dans les entrailles de la poubelle où il vivait. Comme je suis petite, je ne pouvais pas voir à l'intérieur. J'étais en train de m'éloigner quand je l'ai entendu crier derrière moi :

— Ça me va bien ?

Je me suis retournée et je l'ai vu qui souriait jusqu'aux oreilles, dans les mêmes vêtements crasseux qu'avant, sauf qu'il avait ajouté par-dessus l'anorak neuf tout propre, qui, me semble-t-il, était gris pâle. (Nous prenions toujours les couleurs disponibles en grande quantité et, pour des raisons évidentes, nous préférions les couleurs sombres, mais il n'était pas toujours possible de les obtenir). Jamais je n'avais vu quelqu'un sourire avec tant de fierté. Il était aux anges. J'étais si émue que j'en ai eu les larmes aux yeux. Je lui ai rendu son sourire. En même temps qu'un vêtement chaud, nous lui avions en quelque sorte restitué son humanité et son amour-propre.

— Vous êtes superbe ! lui ai-je répondu, sincère, et son sourire s'est encore élargi.

— Merci ! a-t-il lancé.

Jamais quelqu'un ne m'avait touchée à ce point. Je pense encore souvent à lui. Je l'avais surnommé « Ça me va bien ? », pour l'identifier quand nous parlions de lui entre nous. Il semblait si heureux. Ce moment-là avait été unique. Je lui ai fait signe de nouveau, et alors que je me retournais vers la camionnette, il a crié : « Dieu vous bénisse ! » avant de disparaître dans la poubelle.

Il fait partie de ceux que je n'ai jamais revus, mais je me souviendrai toujours de lui, comme de tant d'autres.

Lors d'une autre maraude, je me rappelle une femme que je n'ai vue qu'une seule fois. Elle poussait un chariot à minuit, près du centre administratif de San Francisco, une zone qui abrite beaucoup de SDF la nuit. A une époque, il y a eu là un véritable camp de tentes qui a été rasé par la ville. Maintenant, les gens dorment sous les porches, sur les marches, sous des amas de cartons. C'était une femme corpulente qui poussait son chariot d'un pas mesuré, d'une démarche digne et qui, pour une étrange raison, m'a rappelé les gouvernantes anglaises qui poussaient des voitures d'enfants dans le parc, quand j'étais enfant. Toutes ses possessions se trouvaient dans ce chariot, méticuleusement rangées en une haute pile. C'était une de nos dernières maraudes avant Noël. Nous l'avons abordée pour lui expliquer ce que nous pouvions lui donner. Elle s'est arrêtée et a hoché la tête pour signifier qu'elle était intéressée. Pendant que nous parlions, j'ai remarqué qu'elle s'était mis dans les cheveux de minuscules nœuds auxquels elle avait accroché de petites boules de Noël argentées. Elle ressemblait ainsi à un sapin de Noël humain, ou à une de ces cartes de vœux où l'on voit un renne avec des boules de Noël suspendues à ses bois. Ça peut paraître bizarre, mais c'était adorable. Les fêtes sont rarement célébrées dans la rue. Et cela me faisait mal au cœur à chaque fois que je disais : « Joyeux Thanksgiving » ou « Joyeux Noël ». Le simple fait de prononcer ces mots semble blessant quand on les adresse à des gens dont l'unique priorité est la survie. Heureux ? Joyeux ? N'est-il pas insultant de leur dire cela dans les circonstances où ils se trouvent ? Parfois, je n'osais pas le leur dire. Mais cette femme aux cheveux pleins de boules de Noël argentées avait visiblement décidé de faire honneur à la saison.

Quand nous lui avons remis son sac, elle m'a regardée dans les yeux, avec gravité, sans sourire.

— Je m'appelle Brenda, a-t-elle dit d'une voix claire. Je vous en prie, ne m'oubliez pas.

— Je ne vous oublierai pas, ai-je répondu, en me demandant combien de gens l'avaient oubliée, là d'où elle venait. Je vous le promets, ai-je ajouté.

Et je ne l'ai pas oubliée. A chaque fois que je passe dans le quartier, je pense à elle, à sa démarche fière et digne, aux décorations de Noël dans ses cheveux. Je n'oublierai jamais Brenda. Comment le pourrais-je ?

J'ai eu une expérience similaire devant la gare routière, où nous trouvions beaucoup de sans-abri alignés à l'abri d'un auvent, dans une relative sécurité en raison des lumières vives qui les protégeaient d'éventuelles attaques. Nous faisions « beaucoup d'affaires » à cet endroit, et donnions une bonne partie de ce que nous avions. C'était vite devenu une de nos haltes habituelles. Un soir, au milieu du désordre qui régnait avec la distribution des sacs contenant des vêtements de trois tailles différentes émanant de trois camionnettes distinctes, un homme s'est approché de moi en silence. Il m'a regardée dans les yeux et a dit :

— Je m'appelle Randy. Pourriez-vous prier pour moi ?

J'ai cru qu'il voulait dire tout de suite. Je l'aurais fait s'il l'avait souhaité, même si ce n'était jamais arrivé auparavant. Personne n'en avait fait la requête.

— Maintenant ? ai-je demandé à voix basse, honorée qu'il se soit adressé à moi.

— Non, a-t-il répondu en secouant la tête, sans jamais détacher son regard du mien. Après... Quand vous serez partis... Priez pour Randy.

Je le fais à présent depuis des années. Son nom est gravé dans ma mémoire. J'ai exaucé son souhait. Je prie encore pour Randy.

Au cours de la première année, une femme a croisé notre chemin et m'a bouleversée. Elle était jeune, blonde et jolie, âgée d'une vingtaine d'années. Sa cabane était un abri bien construit, fait de cartons emboîtés avec soin les uns aux autres, entre deux piliers d'une voie routière. Elle a émergé de ses cartons, grelottant de froid et enceinte d'environ six mois. J'étais réellement inquiète pour elle et nous avons parlé de sa grossesse. Elle m'a dit qu'elle avait droit à des soins, bien qu'irrégulièrement. Ce que nous avions à lui donner ne semblait pas du tout adéquat pour quelqu'un dans son état. Elle vivait seule et ce bébé était son troisième, m'a-t-elle confié. Quand elle accouchait, les services sociaux lui retiraient l'enfant, puis elle retournait dans la rue. Elle nous a expliqué tout cela avec des larmes dans les yeux, mais en redressant bravement le menton. Je n'ai pas osé lui demander où était sa famille ni comment tout cela était arrivé. Mais elle a fait partie des rencontres qui m'ont marquée. Comment pouvait-elle supporter tout cela et finalement renoncer à son enfant ? Mais que serait devenu un nourrisson dans la rue, dans les conditions dans lesquelles elle vivait ? Elle me faisait penser aux femmes qu'on voit à la télévision dans des zones de guerre ou des pays dévastés. Et pourtant ce que je voyais se passait tout près de chez moi, dans une ville prétendument civilisée. Par la suite, j'ai entendu parler d'une agence gouvernementale et de bénévoles qui agissent à titre privé pour donner des soins aux SDF enceintes, et j'ai dirigé de nombreuses femmes vers leurs services. Mais, à l'époque, j'ignorais encore leur existence.

Nous l'avons vue régulièrement au cours des mois suivants, alors que sa grossesse avançait. Nous étions au printemps. Elle ne se plaignait jamais, elle était seulement reconnaissante pour tout ce que nous lui donnions. Nous lui apportions de triples rations de nourriture. Elle prenait ce qu'on lui offrait et disparaissait dans sa petite maison en carton. Elle n'avait personne avec elle, personne pour l'aider. Et puis un jour nous sommes arrivés et sa cabane n'était plus là. Les cartons pliés gisaient dans la rue. J'ai supposé qu'elle avait accouché, mais je n'avais aucune idée de l'endroit où elle était. Je ne l'ai jamais revue et j'ignore où elle se trouve à présent.

Le plus triste chez toutes ces personnes qu'on voit dans la rue, c'est que, lorsqu'elles disparaissent, on ne sait pas si leur situation est pire ou meilleure. On ne sait pas si elles ont trouvé un refuge, si elles sont parties, malades ou mortes. Tous ces gens dont le visage s'est gravé dans mon cœur et dans ma mémoire sont peut-être morts. Et pourtant, ils continuent à vivre dans ma tête. Brenda ; Randy ; « Ça me va bien ? » ; la jeune femme enceinte ; la fille dans le fauteuil roulant. Ils ont marqué mon âme et mes souvenirs de la rue.

Je n'ai pas non plus oublié un homme que nous avons rencontré, un jour que nous nous étions arrêtés à la bibliothèque municipale. Nous devions être prudents à cet endroit, parce que des groupes assez nombreux s'y rassemblaient quelquefois, pouvant aller jusqu'à quarante ou cinquante personnes. De plus, c'était à proximité de Market Street, où le marché de la drogue bat son plein.

Quand les SDF apprenaient que nous étions là, maintenant qu'ils savaient qui nous étions, ils arrivaient en masse. Et si nous nous trouvions à court de vêtements ou de duvets, nous pouvions courir de gros ennuis. Car ces sans-abri bien souvent désespérés, parfois sous l'empire de la drogue, pouvaient se révéler très dangereux. Mais ce n'était pas le plus important. Ce qui comptait, c'était de ne pas les décevoir. Nous devions cependant faire preuve d'une certaine prudence. Nous choisissions donc nos haltes avec soin, en tenant compte du nombre de SDF présents et de l'état de notre stock. (Je suis rentrée plus d'une fois en pleurs, après avoir vu une dernière silhouette courir derrière nous alors que nous repartions, la camionnette vide.) Je me souviens de ceux qui n'ont rien eu plus encore que de ceux que nous avons aidés. Ces malheureux, privés une fois de plus d'un petit quelque chose, me brisaient le cœur.

Ce soir-là, tout semblait calme. Une trentaine de personnes faisaient la queue derrière la camionnette. Un jeune sans-abri en skate faisait des figures sur les marches de la bibliothèque tout en venant fréquemment bavarder avec nous, pendant que les autres attendaient calmement. Il n'y avait que des hommes. D'ordinaire, nous comptons dix hommes pour une femme, sauf quand le temps est plus chaud. En hiver, quand il fait froid, les femmes ont plus tendance à se réfugier dans les centres en dépit de la violence qui y règne (à l'exception, bien sûr, de celles qui sont tellement irrécupérables qu'elles ne sont même plus en état de se rendre dans un centre – dans ce cas, c'est nous qui allons à leur rencontre). Tandis que tous se mettaient en rang, j'ai remarqué un homme au bout de la file. Il était en costume trois pièces, portait une chemise blanche et une cravate, et j'ai aussitôt froncé les sourcils avec désapprobation. Durant toutes ces années, très peu de gens qui n'étaient pas SDF ont essayé de profiter de l'occasion pour avoir des affaires gratis. Je soupçonnais cet homme d'en faire partie. J'en ai parlé à un de mes collègues, qui m'a répondu que l'homme était « réglo » et qu'il l'avait vu émerger d'un duvet, sur les marches. Cela m'a rassurée, mais nous n'avions jamais rencontré quelqu'un comme lui dans la rue. Etonnamment, certains sans-abri réussissent à conserver une apparence soignée, surtout les jeunes à la recherche d'un emploi. Ils se coiffent et se rasent avec soin, et portent des baskets propres. Cependant, personne n'était jamais venu en costume-cravate. J'étais plus que stupéfaite.

Je me suis attardée à l'arrière de la camionnette pour mieux le voir alors qu'il approchait pour recevoir un paquet. Lorsque ce fut son tour, nous nous sommes fixés et je lui ai souri. Je n'allais pas lui demander ce qu'il faisait ici, mais il a livré de lui-même sa propre histoire, chose extrêmement rare chez les SDF. Nous ne posions jamais de questions. La simple décence et le respect nous l'interdisaient. Ce qui m'a frappée le plus chez lui, c'est que non seulement il arborait un complet gris rayé de bonne qualité, une chemise blanche propre, une cravate discrète dont il avait desserré le nœud, mais ses chaussures étaient impeccablement cirées. Il portait des lunettes et ses cheveux étaient bien coupés. Il ressemblait à mon banquier, à un agent de change ou à certains de mes amis. Jamais je n'aurais imaginé qu'il était sans-abri. Si on me l'avait présenté en tant que tel, j'aurais refusé de le croire. Ce n'était pas possible !

Il ne nous a pas révélé son nom, contrairement à certains qui le font, comme pour laisser une marque et qu'on se souvienne d'eux. Il avait été cadre dans une entreprise de la Silicon Valley. Sa femme l'avait quitté peu de temps auparavant. Ils avaient trop emprunté et avaient de lourdes dettes. Finalement, il avait tout perdu, jusqu'à son emploi. Il essayait de trouver du travail dans son domaine et personne ne savait qu'il était sans-abri, pas même sa famille. Il devait approcher la soixantaine d'années. Il est resté un moment avec nous, heureux de nous parler.

Pour une raison qui le regardait, il n'avait pas voulu aller dans un centre. Peut-être avait-il peur, à juste titre. Les centres sont déjà dangereux pour ceux qui ne lui ressemblent pas, et il aurait été une cible trop facile. Lorsqu'il est reparti, nous l'avons regardé gravir lentement les marches de la bibliothèque avec ce que nous lui avions donné. Il nous avait été très reconnaissant, et avant qu'il nous quitte, nous lui avions souhaité bonne chance dans ses recherches. Mais cette rencontre nous avait tous secoués. En général, avec la plupart des SDF, nous n'avons pas beaucoup de points communs. Nous avons envie de les aider, éprouvons beaucoup de compassion pour eux, mais n'appartenons pas au même monde. Il en allait différemment avec cet homme. Son histoire pouvait être la nôtre et cela nous terrifiait. Une succession d'erreurs, de la malchance, trop de dépenses, l'échec d'un mariage, un licenciement imprévu. Cela arrive à beaucoup, même s'il est vrai qu'ils ont plus de chances de s'en sortir s'ils n'ont pas de problèmes d'alcool ou de drogue.

Le retour se fit en silence. Nous pensions tous à lui. Il était la dernière surprise de la soirée, tout comme Brenda avec ses boules argentées. Nous avions toujours matière à réflexion en rentrant à la maison.

Je me souviens aussi avec plaisir de deux jeunes, des adolescents entre seize et dix-huit ans sans doute, bien qu'ils aient paru plus âgés. Nous voyions très peu d'adolescents, et jamais d'enfants. Ils sont aussitôt emmenés dans des centres par la police, et avec un peu de chance leurs parents aussi. En onze ans, j'ai vu nombre de femmes enceintes dans la rue, mais jamais de nourrissons ni d'enfants. Jamais. Et je dirais que les adolescents (qui se promènent généralement par deux ou trois et, plus rarement, par petits groupes de huit ou dix) sont cinq pour sept cents adultes. Ils ont tendance à rester entre eux et ne se trouvent pas dans les mêmes zones que les adultes. A San Francisco, ils sont concentrés pour l'essentiel au bout du parc du Golden Gate, un lieu trop dangereux pour nous, car d'accès difficile – il aurait fallu gravir en pleine nuit des pentes couvertes de buissons et d'arbustes. De plus, ces jeunes étaient pour la plupart en situation de dépendance et auraient probablement revendu nos dons pour se procurer de la drogue, ce qui aurait réduit nos efforts à néant. Non que la consommation de drogue soit rare parmi les adultes. D'ailleurs, quelques-uns de mes amis à qui j'ai confié l'existence de Yo ! Angel ! m'ont répondu que les sans-abri vendaient sans doute tout ce que nous leur donnions pour acheter de la drogue. Cette supposition est sans fondement. Leur dénuement était tel que, presque toujours, ils ouvraient le sac sans attendre, enfilaient les vêtements chauds et se mettaient à manger. Et fréquemment, lorsque je faisais des courses dans la journée, je voyais nos sacs bien en évidence dans les chariots de sans-abri, parmi leurs biens les plus précieux. Je sais donc pertinemment que ces sacs n'étaient pas vendus.

Les gamins de la rue appartiennent à une catégorie à part. Et quand je dis « gamins », j'entends « adolescents ». Certains (la plupart, je le crains) ont échoué là parce qu'ils subissaient de tels traitements chez eux que, quels que soient les maux qu'ils rencontrent dans la rue, ceux-ci ne pourront jamais être pires que ce qu'ils ont enduré à la maison. Certains se droguent. Certains ont fugué et sont sans-abri depuis des années. Il n'est pas rare de parler à un jeune de dix-sept ans qui vous dira qu'il ou elle vit dans la rue depuis quatre ou cinq ans. Ils n'ont pas le moindre désir de rentrer chez eux, et grandissent dans la rue, en faisant de leur mieux pour survivre. Beaucoup viennent d'autres régions ou d'autres villes. Quelques-uns voudraient y retourner, mais n'en ont pas les moyens ou n'arrivent pas à se décider. Ils ont tendance à rester en groupe. Je n'ai jamais vu d'adolescent seul dans la rue, ou avec des adultes. Ils affirment presque toujours être plus âgés qu'ils ne le sont en réalité.

La plupart sont persuadés qu'ils finiront par « s'en sortir » un jour, et beaucoup y parviennent avec une aide appropriée. Il y a chez eux une espèce de force, de détermination. Leur vie est encore devant eux, et malgré les épreuves qu'ils ont subies, ils ont envie d'aller de l'avant.

C'étaient eux qu'il m'était le plus difficile de quitter quand nous partions, parce qu'ils me rappelaient mes propres enfants, et que j'aurais aimé faire beaucoup plus pour eux, en dépit de la méfiance qu'ils nous témoignaient. Ils ne voulaient être emmenés nulle part, encore moins renvoyés chez eux, être arrachés à la rue contre leur gré. Pour leur apporter du soutien, j'appelais une organisation de San Francisco créée pour venir en aide aux jeunes dans tous les domaines : hébergement, éducation, recherche d'emploi, soins médicaux, désintoxication. Elle dispose d'équipes de terrain et je leur indiquais toujours les endroits où nous avions vu des jeunes. Je savais qu'ils iraient les voir et j'espérais qu'ils pourraient les convaincre de se faire aider. Parfois ils réussissaient, parfois non. Mais ils essayaient toujours. Ils se déplaçaient et intervenaient à chacun de mes appels.

Il était donc rare que nous rencontrions des adolescents. Pourtant, un soir, dans une ruelle où nous avions repéré une tente ou une pile de cartons, je ne me souviens plus, est apparu un couple qui semblait tout droit sorti d'un film ou d'un clip. Je n'avais jamais vu d'attirail punk aussi époustouflant. Toute en piques, chaînes, cuir noir et vêtements rouges, la fille portait une paire de rangers qui lui arrivait aux genoux. Lui avait une imposante crête iroquoise, qui semblait maintenue en place par de la colle. L'un et l'autre arboraient des piercings et des tatouages partout mais, à leur façon, ils étaient beaux et si extraordinaires que nous avons tous souri (cela dit, j'aurais privé mes enfants de sortie pendant des mois s'ils s'étaient promenés habillés comme ça). Bizarrement, sur eux, c'était génial. Nous avons bavardé avec eux pendant un moment, nous leur avons donné nos paquets et nous ne nous sommes pas imposés davantage. Ils ne voulaient pas d'autre aide de notre part. A leur manière, ils avaient embelli notre soirée. Mais ils n'étaient pas la dernière surprise de Dieu ce soir-là. Nous les avions trouvés alors que nous en étions au milieu de notre maraude et cette rencontre nous avait réconfortés pendant un bon moment.

Il y a mille autres histoires comme celles-ci, touchantes, drôles, bouleversantes, déchirantes. Comme cette femme assise sur un tas de haillons et de cartons qui s'était levée d'un bond en s'écriant :

— Comment l'avez-vous su ? C'est mon anniversaire !

Elle était aux anges, et nous l'avons tous étreinte en lui souhaitant un joyeux anniversaire. Et cet homme qui s'était entièrement recouvert d'un rouleau de papier aluminium qu'il avait trouvé pour se tenir chaud. Et encore cette femme que nous avons vue pendant près d'un an avec une dizaine de chats, presque tous en laisse. Autant je ne craignais pas les chats, autant j'ai toujours eu peur des chiens des sans-abri. Les SDF pouvaient me toucher, mais leurs pitbulls et leurs bâtards affamés n'y sont jamais parvenus. Nous étions suffisamment occupés et ne tenions pas à être attaqués par des chiens. J'aime les chiens et j'en ai plusieurs, mais ceux que nous voyions dans la rue m'effrayaient. L'équipe me taquinait souvent à cause de ça. Face à un type qui semblait prêt à tuer, la plupart du temps je n'aurais pas reculé. Mais face à un chien qui montrait les crocs, je prenais mes jambes à mon cou et j'allais surveiller les beignets jusqu'au retour des autres membres de l'équipe. Oui, bon, d'accord, j'en mangeais un ou deux, surtout ceux au chocolat. Mais personne n'est parfait...

6

Quelques moments chauds

Il n'y a pas que des gens sympathiques dans la rue. Nous avons eu énormément de chance et connu très peu d'incidents. Dans l'ensemble, les gens nous accueillaient avec gentillesse et reconnaissance, parfois même avec sollicitude. Mais il y en eut quelques-uns pour nous rappeler que nous devions rester sur nos gardes et être vigilants. Nous nous aventurions dans un monde qui n'était pas le nôtre, un monde sans pitié. Nous aurions facilement pu servir d'exutoire à la colère, la peur ou la frustration de certains. Comme je l'ai déjà dit, d'un commun accord nous avions écarté certaines zones. Après quelques expériences pas très agréables, nous avons aussi décidé d'éviter les endroits où les gens vivaient dans des voitures, des vieux camions ou des bus. Le danger venait du fait que nous ne pouvions pas savoir qui se trouvait à l'intérieur, ni combien de personnes en sortiraient lorsque les portières s'ouvriraient. Je préférais travailler en plein air et avoir assez d'espace autour de moi pour voir ce qui

C'était au début d'une tournée. Nous nous étions arrêtés et nous dirigions vers un groupe assez nombreux, lorsque au bout de quelques minutes nous avons compris qu'une bande de jeunes prédateurs était en train de les détrousser. Cette nuit-là, nous avons découvert la loi de la rue. Les plus forts s'attaquent aux plus faibles et aux plus malchanceux, et n'hésitent pas à les dépouiller du peu qu'ils possèdent. J'étais arrivée au milieu de ce groupe comme une pom-pom girl, souriant à ceux que nous étions sur le point d'aider, quand un des prédateurs m'a regardée et a levé les yeux au ciel. Lorsque nous partions en maraude, je mettais de vieux vêtements, simples, mais propres, pourtant même en bottes, parka et bonnet de laine, je détonnais par rapport à la population des SDF. Le chef de la bande m'a dévisagée d'un air incrédule.

— Qu'est-ce que vous fabriquez ici ? a-t-il demandé avec un sourire ironique au moment où nous commencions à réaliser ce qui se passait.

Essayer d'intervenir aurait été trop dangereux. Nous ne pouvions pas le faire et nous n'avons pas essayé, même si ce n'est pas l'envie qui nous manquait. J'ai expliqué plutôt nerveusement que nous étions venus apporter des vêtements et des duvets. Il a demandé s'il y en avait assez pour eux aussi, et nous avons acquiescé.

— Bon, laissez-en pour tout le monde et allez-vous-en ! a-t-il ordonné.

Il riait franchement à présent, et même ceux à qui il s'en prenait souriaient un peu. Nous devions

106

avoir l'air plutôt ridicules. Nunuche et ses Joyeux Compagnons s'étaient jetés tête baissée dans une situation où ils n'avaient rien à faire, potentiellement dangereuse.

Nous avons obéi et nous sommes partis sans demander notre reste. Nous nous sentions à la fois coupables d'avoir laissé les sans-abri se faire dépouiller, et soulagés qu'ils ne s'en soient pas pris à nous. Cette expérience nous a servi de leçon. Dans certains quartiers, même les anges doivent regarder par-dessus leur épaule. Cela nous a appris à être plus prudents. Dès que l'on se sent trop sûr de soi, que l'on croit que tout marche sur des roulettes, c'est alors que les problèmes arrivent.

Compte tenu des quartiers que nous avons sillonnés, nous n'avons connu, durant toutes ces années, que des problèmes minimes. Par exemple, je me souviens qu'un soir, alors que j'étais debout dans la rue à attendre les SDF, je me suis fait coincer derrière la camionnette. La personne qui distribue les affaires à l'arrière de la camionnette court toujours le risque d'être poussée contre le véhicule, et même écrasée si les sans-abri sont trop impatients ou trop nombreux. Il était préférable de ne pas se retrouver seul pour ce travail, mais parfois, quand nous étions tous très occupés, nous ne pouvions pas faire autrement. Je crois que cette nuit-là, Jane était seule avec moi. Tous les autres étaient partis faire leur distribution à plusieurs rues de là. Nous agissions aussi vite que possible. Dans la file qui se pressait devant nous, j'ai aperçu un homme au regard perçant, intense. Il semblait nerveux, en colère. Il émanait de lui une hostilité palpable et je l'ai vu porter la main à sa taille et ajuster quelque chose. Il aurait pu s'agir d'un revolver. Il fut bientôt nez à nez avec moi, me toisant, une expression soupçonneuse et furieuse sur le visage.

— Pourquoi faites-vous ça ? a-t-il demandé.

— Parce que j'en ai envie, ai-je répondu aussi calmement que possible. Je pense que c'est important et que les gens ont besoin de ce que nous leur donnons.

Il m'a fixée pendant ce qui m'a semblé une éternité, ses yeux rivés aux miens. Un instant, j'ai cru qu'il allait me tuer. Nous étions plaqués l'un contre l'autre, et la foule se bousculait derrière lui. Je n'ai pas bougé. Je ne voulais pas le mettre plus en colère qu'il ne l'était. Soudain il a laissé retomber sa main, hoché la tête et pris ce que je lui tendais. Puis il m'a regardée une dernière fois en murmurant :

— Dieu vous bénisse, ma sœur.

J'avais les jambes qui flageolaient quand il est parti. Ç'a été une des rares fois où je me suis demandé si je n'avais pas perdu la tête de m'être lancée dans une telle aventure. Il est parfois difficile de savoir si ce que nous faisons est bien. Mais je sais que j'étais plus courageuse durant ces nuits que partout ailleurs. Il est vrai aussi que j'étais entourée d'amis. Je n'aurais pas fait cela sans eux, bien que j'avoue que, par certaines nuits très froides ou très pluvieuses, il me soit arrivé de sortir seule avec une voiture chargée. Cela m'arrive d'ailleurs encore. Je ne peux pas supporter de rester dans mon lit douillet et de songer aux malheureux qui sont dans la rue sans rien faire pour les aider.

Je me rappelle encore un autre soir. Nous nous étions arrêtés près de quelques sans-abri installés sous un porche dans Market Street. C'était le printemps, il faisait encore jour, et on nous voyait de loin. En moins d'une minute, d'autres SDF qui avaient compris ce que nous faisions sont arrivés en courant. Nous avons été littéralement pris d'assaut. Ils étaient trop nombreux et nous avons vite été débordés. Nous étions convenus d'un signal entre nous en cas d'ennuis. Si quelqu'un criait : « Go ! Go ! Go ! », il fallait réagir tout de suite, sans poser de questions. L'un de nous a lancé ce signal, Randy, je crois, et nous nous sommes rués dans les camionnettes et avons démarré en trombe, la foule de SDF à nos trousses. S'ils avaient pu ouvrir les portières, ils l'auraient fait. Mais Younes, Paul et Bob ont été plus rapides qu'eux. Nous avons vite disparu et ne sommes jamais retournés à cet endroit. On nous voyait de trop loin et le danger était trop grand. Nous nous sommes cantonnés à des rues plus petites, plus sombres, où les dangers auxquels nous pouvions être confrontés étaient plus faciles à gérer.

Une des soirées les plus impressionnantes, bien que rien ne nous soit arrivé directement, a sans doute été celle où nous nous sommes aventurés beaucoup trop près d'une rue tristement célèbre pour le trafic de drogue qui s'y déroule. Randy nous avait prévenus que nous nous ferions certainement tirer dessus si nous nous y risquions. Nous n'y étions donc jamais allés. Ce soir-là, nous étions proches de cet endroit et n'avons pu résister à la tentation d'y distribuer quelques lots. Après les avoir donnés, nous sommes rapidement partis. C'est alors que des véhicules de police nous ont doublés à vive allure. En grand nombre. Les autorités municipales voient d'un mauvais œil qu'on aide les sans-abri, et nous avons pensé que la police voulait s'en prendre à nous. Avant de nous lancer dans notre aventure, nous nous étions renseignés sur la légalité de nos activités. Je savais que nous ne faisions rien d'illégal, mais qu'on nous ferait des difficultés si on nous arrêtait. Je craignais même que l'on ne nous jette en prison, rien que pour nous faire peur et nous décourager. Et je m'y étais préparée depuis longtemps. Je savais qu'étant à l'origine de cette entreprise, je serais la première à en payer le prix. A cette époque, il y avait quatre policiers dans notre équipe. Ils n'enfreignaient aucune loi ni règlement, mais j'avais conscience que leur action pouvait leur valoir quelques démêlés avec leurs supérieurs. C'est pourquoi nous avions toujours pris soin d'éviter les forces de l'ordre. Et, ce soir-là, elles s'éloignèrent assez rapidement.

Nous apprîmes, en téléphonant, qu'un meurtre avait été commis à quelques mètres de l'endroit où nous nous étions arrêtés. La police recherchait le coupable et soupçonnait qu'il se cachait encore dans les parages. Ce fut un deuxième avertissement pour nous. Agir dans la rue peut se révéler dangereux. On peut y mourir. Tout comme les sans-abri ne meurent pas seulement de faim, de froid, de plaies infectées ou de maladies, mais aussi sous les balles, nous aussi aurions pu y laisser la vie.

Durement rappelés à la réalité, nous avons terminé notre distribution dans un autre quartier et sommes rentrés chez nous, tête basse. Nous devions faire preuve de plus de prudence. Nous avons parfaitement reçu le message et avons remercié le ciel de nous avoir permis de nous éloigner à temps.

7

Provisions... et ours en peluche

Dans n'importe quel domaine, il faut faire évoluer les choses. Il en fut de même pour nos associations. Au fil du temps, la nature et le nombre de lots distribués ont changé. Il nous a fallu, tout au moins il m'a fallu, un certain temps pour saisir tout ce qu'impliquait notre mission, au-delà du message qui me demandait d'« aider les sans-abri ». La question était de savoir comment. Et quel était notre but ? Nous n'étions pas en mesure de changer leur situation, de les sortir définitivement de la rue, de les loger, de les envoyer en cure de désintoxication ou de les former à un emploi. Nous ne pouvions pas résoudre le problème de tous les sans-abri, même avec toute notre bonne volonté et nos camionnettes pleines. Les nuits que nous passions dans la rue étaient à la fois magiques et éprouvantes. Notre objectif était de maintenir les SDF en vie aussi longtemps que possible, jusqu'à ce que quelqu'un de plus compétent puisse les aider de manière concrète, et nous nous en sortions bien.

A un moment donné, un de mes amis a mis sur pied un petit programme visant à offrir une formation professionnelle aux sans-abri les plus capables. C'était une bonne cause mais, à mes yeux, cela n'en concernait que peu. Il prenait « les meilleurs des meilleurs », les plus aptes à se débrouiller dans la société, et réussissait parfois à les arracher définitivement à la rue. Sauver une dizaine de personnes par an était une grande victoire à ses yeux. Nous aidions deux cent cinquante à trois cents personnes par nuit, mais, bien sûr, nous ne les faisions pas sortir de la rue. Je lui ai fait remarquer un jour que sa mission et la mienne étaient typiques du comportement d'un père et d'une mère. Il les poussait à obtenir une éducation et un emploi alors que j'étais plus soucieuse de les garder au chaud, au sec et bien nourris. En vérité, ils avaient besoin des deux.

A partir du moment où j'ai eu une idée claire du but de notre mission, nous nous sommes concentrés sur leurs besoins essentiels, sur ce qui leur était nécessaire pour rester en vie. C'est la pratique du terrain qui a été notre meilleur guide. Nous avons commencé avec des objets de base et, avec le temps, nous avons su ce qui leur était le plus utile. Ce sont d'ailleurs les sans-abri eux-mêmes qui nous l'ont dit. Il était important pour moi qu'ils reçoivent dès le début des produits de bonne qualité, neufs et propres. Je ne voulais pas leur offrir des rebuts, de vieux vêtements qui n'auraient pas été à leur taille ou des objets qui se seraient tout de suite détériorés. Nous nous en sommes toujours tenus à ce principe. Par sa formation, Jane était extraordinaire pour dénicher les meilleures affaires et passer des commandes. Après l'expérience d'un premier hiver affreusement pluvieux, nous avons ajouté une cape de pluie. Il ne servait à rien de leur donner un anorak neuf s'ils se retrouvaient trempés jusqu'aux os quelques instants après l'avoir enfilé.

Un soir, un vieil homme nous a demandé si, dans nos stocks, nous avions une écharpe. Il nous parut alors logique d'en ajouter une à la liste. Ensuite, nous avons songé à une bâche imperméable pour recouvrir les sacs de couchage et une autre à mettre dessous. Avec tous ces ajouts, les camionnettes débordaient. Il était presque impossible de s'y retrouver, et les sans-abri devaient faire attention à ne pas tout faire tomber en retournant à leur campement. La solution évidente était de leur fournir un sac dans lequel ils pourraient mettre tout ce que nous leur donnions. Jane trouva un modèle approprié, grand, solide, pratique et léger, en nylon.

Une équipe différente de la nôtre se chargeait de remplir les sacs, le week-end, dans mon garage. Afin de rendre la distribution plus facile et plus efficace, un ruban était attaché à la poignée pour identifier le contenu de chacun : jaune pour la taille M, rouge pour L et bleu pour XL. Nos sacs étaient noirs et le sont toujours restés, si bien que, très vite, quand les sans-abri parlaient de nous, ils nous surnommaient « les gens aux sacs noirs ». Nous avons fini par devenir célèbres dans le monde de la rue.

Au bout de quelque temps, nous nous sommes rendu compte qu'il nous restait souvent des anoraks de femmes, ce qui représentait un gaspillage. Nous rencontrions trop peu de femmes. Finalement, nous

nous sommes aperçus que, la plupart du temps, la taille M pour homme faisait l'affaire pour elles et nous avons cessé d'avoir des tailles spécifiques pour les femmes.

Au fur et à mesure, nous avons ajouté de plus en plus d'articles qui se sont tous révélés essentiels ou tout au moins très utiles pour ceux qui vivent dans la rue, tels qu'un survêtement chaud, disponible en trois tailles comme les blousons, et un caleçon long à mettre dessous. Nous distribuions déjà des chaussettes, des gants, des bonnets et des écharpes. Nous avons passé beaucoup de temps à essayer de trouver ce que nous pouvions faire pour les chaussures, les pointures constituant un obstacle, jusqu'à ce que nous pensions aux sandales ouvertes que nous avons achetées en trois pointures aussi. L'ajout de sous-gants a été approuvé par tous. Puis nous avons accompagné les capes de pluie et les bâches de parapluies. Nous avons également ajouté des torches, des calepins et des stylos afin qu'ils puissent se laisser des messages entre eux, et des jeux de cartes pour passer le temps. Et puis divers ustensiles, tels qu'ouvre-boîtes et couverts, et plus tard des gourdes. Tous ces ajouts furent apportés à la suite des demandes des sans-abri. Enfin, j'ai pensé que si les SDF avaient la chance de pouvoir se présenter à un entretien d'embauche, ils n'avaient en revanche aucun moyen de se laver. Nous avons donc commencé à fournir des produits d'hygiène : peignes, rasoirs, solutions pour bain de bouche, brosses à dents, dentifrice, déodorant, lingettes, shampooing, tampons. Et j'y ai ajouté une petite fantaisie personnelle, une savonnette de très bonne qualité. J'aime les belles savonnettes, et j'étais heureuse de leur offrir un petit luxe plutôt que quelque chose de plus basique. En résumé, grâce au contenu de nos sacs, ils pouvaient rester au chaud, au sec et se tenir propres.

Pendant longtemps, nous ne leur avons pas donné de nourriture. En distribuant des objets aux sans-abri, nous ne faisions rien d'illégal. En revanche, la réglementation concernant la nourriture est beaucoup plus stricte. Il faut une licence pour servir des aliments cuits ou non emballés. Cela nous a d'ailleurs permis de découvrir que ces lois avaient été mises en place parce que des fous leur avaient offert des plats empoisonnés et que d'autres leur avaient donné des aliments périmés qui n'étaient plus comestibles. Par conséquent, à San Francisco tout au moins, il est interdit de distribuer de la nourriture qu'on a fait cuire soi-même ou des produits crus sans disposer d'une licence et être soumis à des inspections rigoureuses. Tout ce qui est remis aux sans-abri doit être emballé et scellé industriellement. L'affaire me semblait donc compliquée, d'autant plus que nos SDF n'avaient plus aucun moyen de faire cuire, réchauffer ou réfrigérer quoi que ce soit. Je ne voulais pas m'aventurer dans ce domaine, et d'ailleurs le sac était déjà plein à craquer et notre budget serré au maximum. Pourtant, bien souvent, ils nous demandaient si nous avions quelque chose à manger à leur donner et étaient déçus d'apprendre que ce n'était pas le cas. Nous avons donc entrepris des recherches sur ce que nous pourrions leur fournir, et cela s'est révélé plus facile que je ne l'avais craint.

Il nous fallait trouver quelque chose de savoureux, nourrissant, et qui n'ait pas besoin d'être cuit ou tenu au froid. Nous avons acheté des conserves de thon, de poulet, de jambon, de fruits, accompagnées bien sûr d'un ouvre-boîte ; des soupes lyophilisées ; des céréales auxquelles il suffisait d'ajouter de l'eau chaude, ce qu'il leur était relativement facile d'obtenir ; des céréales froides, du beurre de cacahuète, de la gelée, des biscuits salés, des chips, des haricots, du bœuf séché, des noix, fruits secs, barres énergétiques, cookies, tablettes de chocolat, ainsi que du café, du thé, du chocolat chaud instantané, du sucre et de la crème en poudre. Au bout d'un certain temps, nous avons pu leur remettre assez de provisions pour leur permettre de survivre près de trois semaines s'ils les utilisaient judicieusement. Tous étaient ravis. Le sac était lourd – nous avions dû d'ailleurs nous en procurer de plus grands lorsque nous avions commencé à ajouter la nourriture – mais il répondait à des besoins bien réels, et personne ne se plaignait qu'il soit si bien rempli. Quand les femmes avaient du mal à le porter jusqu'à leur campement ou leur cabane, les hommes les aidaient. L'ajout de nourriture fut une idée très appréciée.

On nous demandait aussi de l'eau, mais nous n'avons pas pu résoudre ce problème. Des bouteilles auraient rendu les sacs bien trop lourds, pour eux comme pour nous. Après l'ajout de la nourriture, il m'était déjà devenu beaucoup plus difficile de sortir les sacs de la camionnette, alors des packs d'eau auraient rendu la tâche impossible, et aucune SDF femme n'aurait pu les porter.

En revanche, nous leur donnions une gourde qu'ils n'avaient plus qu'à remplir. Nous ne pouvions pas faire mieux.

Concernant les médicaments, nous n'avions pas voulu nous en occuper. Certes, la plupart des gens dans la rue étaient malades et avaient besoin de traitements pour de petits problèmes ou des plus graves, et cela leur aurait rendu service que nous leur offrions des remèdes contre la toux ou le rhume, mais j'avais peur de leur donner un produit auquel ils auraient pu être allergiques et d'aggraver leur cas. Je ne voulais pas courir ce risque. Je craignais aussi que leur donner des médicaments ne les dissuade de se rendre dans les dispensaires ou les cliniques d'urgence quand ils en avaient besoin. C'est pourquoi nous ne leur fournissions que des pansements et du désinfectant.

Les SDF savaient quand nous étions en maraude. Les nouvelles allant vite, beaucoup de sans-abri avaient compris quand nous sortions et savaient en gros quand nous allions revenir. Ils faisaient donc tout pour ne pas nous manquer. Nous couvrions une très large zone, incluant la plupart des endroits où les SDF erraient et vivaient. Nous demandions aux gens où certains campaient et nous allions à leur recherche. Dans les parkings de super-marchés, les ruelles sombres, sous les autoroutes, près des chantiers, dans des lieux où personne n'aurait soupçonné que des êtres humains puissent se cacher. Nous faisions notre possible pour les trouver. Et beaucoup d'entre eux venaient à notre rencontre.

Un des outils de communication les plus utiles dans la rue est le « téléphone portable », mais pas celui qu'on met dans sa poche. Ici le « téléphone portable » est quelqu'un à bicyclette, qui va d'un groupe à l'autre, apportant des nouvelles et prévenant les gens de ce qui se passe dans le voisinage. Grâce à ceux qui sillonnaient les zones où nous avions l'habitude de nous rendre, beaucoup plus de SDF entendaient parler de nous et accouraient. Nous étions reconnaissants envers ces « téléphones portables » qui nous permettaient d'aider une population plus large.

Le nombre de sacs distribués est très vite passé de soixante-quinze à cent, puis à cent vingt-cinq, et enfin à cent cinquante. Au bout d'un certain temps, nous avons franchi un nouveau palier et sommes montés jusqu'à deux cents, puis deux cent cinquante et certains soirs trois cents. Aucune condition n'était requise pour obtenir un sac, sinon être là. Nous en remettions à ceux qui nous en demandaient un supplémentaire pour un mari, une femme, une petite amie ou un petit ami, ou un copain resté dans sa cabane à quelques rues de là parce que trop malade pour venir jusqu'à nous. De quel droit aurions-nous douté de leur parole ? Leur vie était assez dure sans qu'on la leur complique.

Le vol est fréquent dans la rue et représente un grave problème. Trop souvent, les gens nous disaient qu'ils avaient été dépouillés. Je ne peux pas vous dire combien de fois, lors de nos maraudes, nous avons vu des gens venir à nous, désespérés, parce que leur sac avait été volé quelques jours plus tôt (ou pris par le DPW et jeté dans un camion-poubelle).

— Je savais que vous alliez revenir, nous a dit plus d'un. J'ai commencé à prier ce matin pour que vous reveniez... Où étiez-vous ? J'avais besoin d'un nouveau sac... Dieu merci, vous êtes là.

Le ciel semblait nous pousser dans la rue au moment où on avait le plus besoin de nous.

De la même façon, je ne saurais vous dire combien de fois quelqu'un a secoué la tête en souriant et dit :

— Vous m'avez donné ce qu'il me fallait la dernière fois, je n'ai besoin de rien...

Ou nous a assuré qu'il n'avait besoin que d'un anorak mais pas d'un duvet. Les besoins sont grands dans la rue, mais les gens veulent rarement plus que ce qui leur est nécessaire. Et très souvent le sans-abri préfère qu'on donne un sac à un ami, qui, dit-il, en a plus besoin que lui.

Je ne vais pas prétendre que je n'ai jamais eu peur en voyant des SDF à l'aspect effrayant se ruer vers nous. La rue a longtemps été pour moi un monde étranger, plein d'individus qui me paraissaient menaçants, bizarres ou perturbés.

Souvent, ils devenaient moins effrayants quand on commençait à leur parler. Mais, d'autres fois, c'était le contraire, et c'était d'autant plus inquiétant. Au début, un soir où plusieurs SDF à la mine patibulaire couraient vers moi, je me suis forcée à réagir et je me suis dit : Si Jésus venait vers moi, et qu'il ressemblait à cet homme, est-ce que je m'enfuirais ? Ou est-ce que je resterais là où je suis, lui ferais face et le serrerais dans mes bras ? Je me suis efforcée de voir Jésus en chacun de ceux qui me faisaient peur, et en fin de compte je me suis sentie mieux. Je n'étais plus effrayée. Ceux qui m'avaient semblé si dangereux au départ étaient devenus des êtres pleins de bonté qui nous accueillaient dans leur univers. Cette vision des choses m'a beaucoup aidée. Elle correspond à un tableau presque grandeur nature que j'ai acheté dans une exposition. C'est un collage représentant un homme qui a le visage de Jésus et une couronne de fil de fer barbelé sur la tête. Il est vêtu de couleurs vives et tient une pancarte où l'on peut lire : « Prêt à travailler pour manger ». Il est si réaliste que c'en est troublant, et je l'ai placé dans le couloir en face de ma chambre, à un endroit où je peux le voir de mon lit. Parfois, au clair de lune, il m'arrive d'avoir peur, croyant qu'un inconnu est sur le seuil. Puis je réalise que c'est mon tableau et je me souviens de la raison pour laquelle je l'ai acheté. Je l'adore, il me rappelle les gens que j'ai rencontrés dans la rue et que j'imagine avec le visage de Jésus, ces gens qui ne me font plus peur. C'est un rappel constant de cette action que j'aimais tant.

Le plus triste, c'est que nous aurions pu distribuer quatre ou cinq fois plus de sacs noirs durant nos maraudes. Mais acheter des fournitures pour trois cents sacs coûtait cher. Il nous était tout simplement impossible d'en donner davantage et je le regrette profondément.

Le dernier objet que nous avons ajouté à nos sacs venait d'une idée dingue que j'avais eue un Noël, et qui s'est révélée ne pas être si dingue que ça, après tout. J'ai un côté très enfantin. Le départ de ma mère quand j'avais six ans m'a forcée à entrer très tôt dans l'âge adulte, et j'ai toujours adoré les ours en peluche et le réconfort qu'ils représentent. Il y a en chacun de nous un enfant qui a besoin d'être gâté de temps à autre, dorloté, et reconnu en tant que tel. Evidemment, ceux qui luttent pour leur survie dans la rue n'ont pas le temps de songer à cela. De plus, les ours en peluche sont à mes yeux le symbole de Noël. Aussi décevantes que soient parfois les fêtes, l'enfant au fond de nous espère toujours que les choses vont changer. Et comme notre mission était une mission d'espoir, j'ai voulu, un Noël, ajouter un ours en peluche au sac. Ce désir a suscité un important débat. Etait-ce une bonne idée ou un gaspillage d'argent ? Y aurait-il quelqu'un à qui cela ferait plaisir et qui en voudrait ? Devions-nous mettre l'ours dans le sac ou le distribuer séparément ? La plupart des hommes étaient d'avis qu'il fallait le mettre dans le sac afin qu'il soit découvert plus tard. Les femmes pensaient qu'on devait le distribuer, ce qui serait plus personnel, plus humain. Mais tous pensaient et, pour être franche, moi aussi, que la plupart des ours finiraient rapidement dans une poubelle ou dans le caniveau. Puisque 90 % des SDF que nous aidions étaient des hommes et que tous étaient plutôt endurcis, il était difficile d'imaginer qu'ils n'allaient pas nous rire au nez à la vue d'un ours en peluche. Pourtant, je tenais à essayer. Mon cœur me soufflait que c'était un geste dont ils avaient besoin. C'était très important pour moi. Au risque de me ridiculiser, je voulais tenter l'expérience.

Ce Noël-là, deux femmes merveilleuses qui possédaient un magasin nous ont offert deux cents petits ours en peluche (plus tard, nous les avons achetés). Lors de cette première fois, nous avions tous l'air un peu gênés. Mais bravement, en distribuant les sacs, même les hommes de l'équipe ont donné à chacun un ours, en disant « Joyeux Noël » ou « Joyeuses fêtes ».

Aucun d'entre nous n'était préparé à la réaction des sans-abri. Le premier à qui nous en avons offert un devait mesurer 1,90 mètre. C'était un gaillard bien bâti, aux cheveux en bataille, qui avait un visage sombre et une expression dure. Il nous a regardés, en fixant l'ours en peluche dans sa main. Je m'attendais à ce qu'il me le jette à la figure quand, à notre grande stupéfaction, il a soudain fondu en larmes.

— Oh mon Dieu ! s'est-il écrié. Un ours en peluche... Je vais l'appeler Oscar.

Il se confondit en remerciements et s'éloigna, tenant son sac dans une main, et dans l'autre l'ours en peluche serré contre sa poitrine. Il en fut ainsi toute la soirée. Des hommes très baraqués à l'air coriace, et il semblait y en avoir beaucoup ce soir-là, serraient leur ours en peluche, lui donnaient un nom, poussant des exclamations de surprise et de plaisir. Certains d'entre eux restèrent sur place et se mirent à pleurer, l'ours à la main. De manière plus prévisible, les femmes les adorèrent et pleurèrent souvent elles aussi. Mais ce sont les hommes qui nous émurent le plus. Leurs visages semblaient se transformer devant nous, s'adoucir à vue d'œil. Ils étaient aussi touchés que les femmes. Ce soir-là, personne ne refusa un ours en peluche, et il en alla de même par la suite. Tout le monde était heureux.

Nous avons vite compris que nous avions mis le doigt sur quelque chose d'important, et après cela les ours firent partie de toutes nos maraudes. Personne ne recevait un sac noir sans qu'on lui donne aussi une peluche. Les ours étaient magiques. Par ce seul geste, nous avions rendu à ces gens non seulement un souvenir d'enfance, mais une part de tendresse et d'humanité qui leur manquait. Il ne s'agissait pas seulement de les aider à survivre, de les habiller, de les nourrir et de leur fournir un duvet... Il s'agissait de les faire se souvenir d'une partie d'eux-mêmes qu'ils avaient perdue et oubliée. Ils regardaient cet ours et quelque chose en eux revenait à la vie. Ce fut l'un des moments les plus émouvants que nous ayons connus dans la rue. C'était merveilleux d'avoir pu leur faire ce cadeau ! Certains SDF, après avoir reçu des sacs lors de différentes maraudes, avaient de vraies familles d'ours dans leur chariot ou leur duvet. Les hommes n'étaient pas gênés de les posséder et leur donnaient presque toujours un nom. Ces ours représentaient une partie d'eux à laquelle ils voulaient s'accrocher. Ils étaient un signe tangible de l'amour que nous désirons et dont nous avons tous besoin, un lien entre nous et eux. Un symbole de tout ce qu'ils avaient perdu, oublié, et qu'ils espéraient retrouver un jour.

8

D'autres groupes et leur action

Bien que ce que nous avons fait n'ait pas été courant – peu d'associations travaillent sur le terrain, et l'aide matérielle que nous apportions était unique en son genre –, il existe néanmoins quelques associations qui vont dans la rue pour aider les sans-abri et pallier l'insuffisance des pouvoirs publics. En effet, l'état comme les municipalités ont dû réduire leur budget et ont donc supprimé la plupart des programmes qui étaient alloués aux SDF. Certaines de ces associations existent depuis plus de vingt ans, sont largement reconnues et ont d'impressionnants résultats à leur actif. Chacune a sa spécificité et elles sont indépendantes les unes des autres.

Larkin Street Youth Services est une des organisations les plus impressionnantes. Elle s'occupe des jeunes SDF, ceux qui ont entre onze et vingt-quatre ans. Non seulement elle les aide à trouver un toit mais leur fournit des vêtements, leur apporte les soins médicaux indispensables, notamment pour ceux atteints du sida (qui sont malheureusement nombreux en raison de la drogue), ainsi qu'un soutien psychologique. Elle leur fournit, en outre, une formation et les aide dans leur recherche d'emploi, leur offre des programmes d'éducation et les incite à renouer avec leur famille quand c'est possible. Cette association possède également, ce qui est très rare, deux équipes de terrain, l'une motorisée et l'autre à pied. Leur but consiste à tisser des liens avec les jeunes et à les aider à prendre un nouveau départ dans la vie.

Une autre de ces associations, At The Crossroads, a été fondée il y a environ douze ans par un jeune assistant social, qui, ayant travaillé auprès des adolescents, s'est rendu compte que les programmes d'aide existants ne concernaient pas les SDF les plus jeunes. Il a formé une équipe de terrain qui se déplace à pied, avec des sacs à dos dans lesquels se trouvent aussi bien des shampooings en petits flacons (comme ceux qui sont mis à disposition dans les avions) que des préservatifs, des bonbons et toutes sortes de produits utiles. Leur but est d'établir un premier contact et de le maintenir. Ils emmènent les jeunes déjeuner au fast-food, discutent avec eux, s'efforcent de créer un lien suffisamment fort pour les amener à sortir de la rue quand ces derniers y sont prêts. Ils restent présents aussi longtemps que nécessaire, parfois des années, pour les aider à retrouver la normalité, apprendre à se débrouiller par leurs propres moyens et à avoir une vraie vie, pas seulement à survivre. Et ils obtiennent des résultats extraordinaires.

Je connais également une femme remarquable, une infirmière d'origine irlandaise issue d'une famille de treize enfants, qui travaille dans la rue depuis vingt ans et qui s'occupe des femmes enceintes. Elle leur apporte les soins prénataux de première nécessité et son action est désormais reconnue et s'est élargie à l'aide des familles et des enfants. Elle a fondé son association exactement comme le jeune assistant social, seule, en sillonnant les rues avec son sac à dos, sa bonne volonté et ses compétences. Dans les deux cas, leurs associations se sont développées au cours des dix dernières années et sont venues en aide à un très grand nombre de personnes. Ce sont de vrais héros, des héros de la rue, même s'ils restent des héros méconnus.

Une autre association, Street Outreach Services, composée de médecins et d'infirmières, fournit des soins médicaux d'urgence aux sans-abri. Elle circule par petites unités dans des fourgonnettes et fournit une aide précieuse, en répondant aux besoins les plus aigus, et il y en a beaucoup.

Longtemps avant que j'aie commencé mon action dans la rue, des médecins s'étaient associés pour soigner les SDF, notamment leurs blessures qui s'infectaient fréquemment et provoquaient de gros problèmes. Ils se sont récemment séparés et certains d'entre eux sont partis à Philadelphie pour y effectuer la même chose qu'à San Francisco.

Je connais aussi une association nommée SAGE, qui vient en aide aux SDF femmes qu'on exploite et maltraite. Ses membres vont sur le terrain pour les trouver et leur offrir leur soutien, les incitant à se rendre dans leurs locaux pour y recevoir des soins pour leurs blessures tant physiques que psychologiques.

Toutes les associations dont je viens de parler possèdent des locaux où elles accueillent les sans-abri, mais toutes continuent à opérer sur le terrain, là où elles ont commencé. C'est dans la rue que se fait le plus gros de leur travail. Elles vont à la rencontre de ceux qui ont besoin d'elles, comme nous le faisions.

Je me dois aussi de mentionner Caduceus, une association qui regroupe des psychiatres, qui eux aussi sont présents dans la rue pour offrir leurs soins. Au moins deux de leurs membres ont fait leurs études à Harvard. Leur travail est remarquable et ils l'effectuent avec un dévouement non moins remarquable.

Et je connais aussi une association tout à fait exceptionnelle : Glide Memorial Church, au cœur du quartier de Tenderloin. Elle ne travaille pas sur le terrain, mais fournit l'aide la plus complète que j'aie vue à ce jour aux sans-abri qui vont dans ses locaux. Là, ils ont droit à trois repas chauds par jour, à des garderies pour ceux qui ont des bébés ou de jeunes enfants, à un hébergement, à des consultations médicales et psychiatriques, à des soins apportés par des médecins et des infirmières, à des formations professionnelles et même à un programme permettant à certains d'entre eux de terminer leurs études et d'entrer à l'université. Cette association offre plus d'un million de repas par an et propose aux SDF une gamme de services extraordinaire.

Toutes ces associations sont admirables pour le travail qu'elles accomplissent mais aussi parce qu'elles donnent des idées et sont un modèle pour ceux qui veulent venir en aide aux sans-abri dans d'autres villes.

Bien que la question des sans-abri soit un problème international, certains pays traitent la situation beaucoup mieux que d'autres. Chacun la gère différemment. En Angleterre et en France, le système de sécurité sociale facilite l'accès aux soins et évite à nombre de gens de se retrouver à la rue. Il existe en France des unités mobiles qui sillonnent les villes à bord de camions, d'ambulances et de voitures et qui assurent les soins médicaux sur le terrain. Ce type d'action est quasiment inconnu aux Etats-Unis, où presque aucun soin n'est délivré dans la rue.

A Paris et dans de nombreuses villes de province, Les Restaurants du Cœur fournissent des repas à ceux qui ont le plus besoin de se nourrir, tandis qu'Emmaüs offre dans ses centres des soins médicaux, des places d'hébergement, mais aussi des activités professionnelles permettant une meilleure réinsertion. Ils ont également des équipes de terrain qui agissent toutes les nuits, de 22 heures à 8 heures du matin. Nous avons beaucoup à apprendre les uns des autres.

A San Francisco, la Fondation Saint Anthony sert des milliers de repas gratuits chaque jour. Cependant, nulle part l'aide n'est suffisante, et le nombre de sans-abri de par le monde, non seulement dans les cités, mais aussi dans les petites villes, est beaucoup trop important.

Il est clair que nous devons travailler plus et unir nos forces afin de trouver des solutions efficaces pour aider les sans-abri. Mais d'abord et avant tout, nous devons nous soucier d'eux.

9

Que pouvez-vous faire, vous ?

Aucun d'entre nous ne peut changer seul la situation des sans-abri. Et même en travaillant ensemble, c'est un problème énorme et complexe dont la résolution prendra des années. Il faut apporter davantage de fonds aux structures qui viennent en aide aux sans-abri. Ceux qui souffrent de troubles mentaux graves doivent pouvoir accéder aux soins, soit par le biais d'une hospitalisation, soit par des visites régulières à l'hôpital. Certaines lois doivent être changées. Les gouvernements doivent s'attaquer au problème au lieu de se contenter de belles paroles.

Cependant, à un niveau plus modeste, nous pouvons tous agir. Bien sûr, tout le monde n'est pas prêt à s'engager. Nous n'avons pas tous le temps ou les moyens financiers d'organiser une équipe, d'acheter des provisions et d'agir comme je l'ai fait. Mais tous nous pouvons apporter notre contribution, même à moindre échelle. Si vous mettez trois duvets à l'arrière de votre voiture, ou cinq ou six, ou quelques anoraks, et que vous vous arrêtez pour les donner aux sans-abri que vous voyez, vous sauverez peut-être une vie ou plusieurs.

Médecins et psychiatres peuvent se mobiliser pour assurer des soins médicaux aux SDF. Nous n'avons pas toujours beaucoup de temps ni beaucoup d'argent, mais nous avons tous des compétences et un cœur. Si vous vous souciez assez du sort des sans-abri pour leur tendre la main, vous leur apporterez, à eux qui mènent une existence misérable et tragique, une aide inestimable. Vous leur offrirez l'espoir ! Même si vous ne donnez qu'un seul duvet, vous saurez que, grâce à vous, un être humain est au chaud ce soir-là. Et surtout, ce qui est plus important encore, vous lui permettrez de garder la foi et l'espoir. Même si le problème des SDF est énorme, curieusement il suffit de peu de choses pour influer positivement sur la vie de quelqu'un. Vous ne les sortirez peut-être pas de la rue, mais vous changerez votre vie et la leur. Tout est possible. Un petit geste suffit. Ensemble, nous pouvons transformer le monde.

Mais, quoi que l'on fasse, il faut toujours agir de manière réfléchie, en évitant, par exemple, d'effrayer les gens dont on s'approche, en n'allant pas seul vers des sans-abri qui sont en groupe, parce qu'on ignore tout de leur situation. Il ne faut pas se montrer imprudent et courir des risques inutiles, comme de s'aventurer seul dans des quartiers dangereux. Un prêtre, un jour, m'a donné un bon conseil : « L'Eglise ne canonise pas les sots. » Mais l'expérience m'a appris que vous serez remercié pour vos bonnes actions. Les sans-abri de toutes les villes ont besoin de votre aide et vous pouvez apporter votre contribution beaucoup plus facilement que vous ne le pensez.

Un soir d'hiver, alors qu'il pleuvait à verse, j'ai été profondément marquée par un jeune couple. Nous étions sur le chemin du retour et il ne nous restait que deux sacs à l'arrière d'une fourgonnette. Nous étions fatigués, nous avions froid, et soudain nous avons vu deux silhouettes réfugiées sous une porte. Nous nous sommes arrêtés et nous sommes descendus. Un jeune homme était là, âgé d'une trentaine d'années, vêtu d'un tee-shirt, d'un jean et de tongs. Il était trempé jusqu'aux os dans le froid glacial et une jeune femme était debout, tout près de lui. Ils n'avaient absolument rien. Ni couverture, ni abri, ni provisions, pas même un carton pour se protéger. La jeune femme pleurait et tremblait, et le jeune homme lui parlait doucement. Il venait de mettre sa veste autour de ses épaules et lui caressait les cheveux, en disant d'une voix aussi tendre que celle d'une mère que tout irait bien. Elle le regardait d'un air désespéré, sa jupe trempée plaquée contre elle. Jamais je n'ai vu autant d'amour entre deux êtres. Il lui avait tout offert et se tenait transi en la serrant dans ses bras.

Il ne se plaignait pas de leur sort, ne lui disait pas combien il avait froid, ne l'accusait pas d'être responsable de leur situation. Au contraire, il la rassurait, la réconfortait, l'entourait de tendresse. Nous nous sommes approchés d'eux, portant les deux derniers sacs. C'était comme de pénétrer dans leur intimité. Ils nous ont regardés et nous avons expliqué que nous avions de la nourriture, des duvets, des vêtements chauds et secs. Ils se sont mis à pleurer tous les deux, et nous aussi, et il l'a regardée avec un sourire entendu, comme pour dire « Tu vois, je t'avais dit que tout s'arrangerait ». Sans le savoir, nous lui avions donné raison. Quelque chose de merveilleux venait de leur arriver, et à nous aussi. Etre témoin d'un tel amour est un immense privilège. Je ne crois pas avoir jamais vu un homme aussi attentionné, ni deux personnes aussi heureuses, aussi reconnaissantes.

Ils nous ont remerciés et nous les avons laissés là, se sécher, enfiler les anoraks, poser les bâches, dérouler les sacs de couchage, découvrir les provisions. Ce n'était qu'une solution provisoire pour eux, mais cela leur prouvait que les choses pouvaient s'améliorer, et j'espère que ça a été le cas. Car, alors qu'ils vivaient de sombres moments, ils se témoignaient amour et réconfort. Et à l'instant où ils s'y attendaient le moins, l'espoir était revenu. Je n'ai jamais oublié ce que j'ai vu entre eux ce soir-là, pas plus que je n'ai oublié les autres. Pour moi, ce jeune couple était l'image même de l'amour.

Quoi qu'il arrive, j'espère que vous aussi vous garderez l'espoir. Il est toujours présent, même dans nos moments les plus sombres, dans toute sa tendresse et sa beauté. Même s'il est parfois difficile à voir, c'est le don le plus précieux de tous. L'espoir est un cadeau. Un cadeau précieux, à partager.

Que la vie vous soit douce.
Avec toute mon affection,

Danielle Steel

Danielle Steel s'est vu attribuer de nombreuses distinctions pour son action dans le domaine des maladies mentales. Elle a notamment reçu les prix suivants :

Distinguished Service in Mental Health Award : décerné par le service de psychiatrie de l'hôpital presbytérien de New York, la faculté de médecine de l'université Columbia et l'école de médecine Weill-Cornell.

Distinguished Service Award : décerné par l'Association des psychiatres américains.

Service to Youth Award :
En reconnaissance du travail accompli pour améliorer la vie des enfants et des adolescents atteints de troubles mentaux.
Décerné par l'université de San Francisco, l'organisation de la Jeunesse catholique et le centre médical Saint Mary.

Outstanding Achievement Award :
En reconnaissance de sa contribution exception-
nelle auprès des adolescents de Larkin Street Youth
Services, San Francisco

Outstanding Achievement Award in Mental
Health :
Décerné par l'Association des psychiatres de
Californie

En tant que membre du California Hall of Fame,
Danielle Steel a reçu une médaille remise par le
gouverneur Arnold Schwarzenegger le 1ᵉʳ décembre
2009.

Table des matières

Composition et mise en pages : FACOMPO, LISIEUX

Achevé d'imprimer au Canada
sur les presses de Imprimerie Lebonfon Inc.